HURRA!!! PO POLSKU 3

Agnieszka Burkat
Agnieszka Jasińska
Małgorzata Małolepsza
Aneta Szymkiewicz

PODRĘCZNIK STUDENTA

Prolog
SZKOŁA JĘZYKÓW OBCYCH

Sprawności językowe

Rozumienie ze słuchu	Rozumienie tekstów pisanych	Mówienie	Pisanie	Jaką część egzaminu ćwiczymy
– przebieg rozmowy – dane osobowe	– definicja słownikowa słowa *egzamin* – tekst *Jak sobie radzić ze stresem*	– rozmowy na temat egzaminów	– formularz zgłoszeniowy na egzamin – dawanie rady	**– Część A.** Rozumienie ze słuchu – terminy gramatyczne – polecenia do ćwiczeń
– ulubione metody uczenia się języków obcych	– fragmenty artykułów: *Języki obce, Język lęglidż, Badania inteligencji po 66 latach*	– mówienie o znajomości języków obcych i sposobach uczenia się oraz zapamiętywania informacji	– podsumowanie wyników ankiety	**– Część C.** Rozumienie tekstów pisanych
– dialog u fryzjera	– artykuły prasowe na temat mody i przedmiotów codziennego użytku: *Fitnessowa moda, Ekscentryki*	– określanie wyglądu osób, dialog w salonie fryzjerskim – komplementy, wyrażanie opinii na temat mody	– krótka notka informacyjna	**– Część A.** Rozumienie ze słuchu
– wystąpienie szefa związku zawodowego nauczycieli – sonda uliczna	– *Przewodnik po zmianach w kodeksie pracy*	– opis warunków życia – wyrażanie zadowolenia i niezadowolenia oraz rozczarowania	– opis sytuacji rodzinnej Polaków na podstawie danych statystycznych	**– Część E.** Mówienie
– wypowiedzi krótkie i dłuższe – zachęcanie	– artykuł prasowy: przepisy i dieta	– egzamin: zachęcanie, przekonywanie – wyrażanie upodobań związanych z kuchnią	– przepisy kulinarne – tekst z użyciem idiomów	**– Część E.** Mówienie
– dane statystyczne – krótkie wypowiedzi: opowiadanie	– definicje – dane statystyczne – artykuł prasowy: *Trzy procent odmienności*	– opowiadanie wydarzeń z przeszłości – porównanie	– egzamin: list nieformalny – wyrażanie relacji czasowych w opisie	**– Część D.** Pisanie
– załatwianie spraw	– hasła ze słownika frazeologicznego – zawiadomienia	– załatwianie spraw	– wniosek o przyznanie karty czasowego pobytu – przyczyny pobytu w Polsce	**– Część C.** Rozumienie tekstów pisanych
– rozmowa telefoniczna – dialogi sytuacyjne	– reklama, szyld – ogłoszenia, definicje – tekst: *Usterka*	– rozmowa telefoniczna – wzywanie / szukanie fachowca	– zapytanie ofertowe	**– Część A.** Rozumienie ze słuchu
– wypowiedzi na temat wydatków w wolnym związku – tekst o tanich liniach lotniczych – pojedyncze wypowiedzi sytuacyjne	– dane statystyczne na temat kieszonkowego	– wyrażanie pewności i niepewności – opinie na temat wydatków, oszczędności, tanich linii lotniczych	– quiz *Wiem wszystko* – krótka informacja prasowa	**– Część C.** Rozumienie tekstów pisanych

Sprawności językowe

🔊 Rozumienie ze słuchu	📖 Rozumienie tekstów pisanych	👄 Mówienie	✍ Pisanie	Jaką część egzaminu ćwiczymy
– wiadomości – wywiad	– artykuły prasowe na temat polskich firm	– wyrażanie warunku i konsekwencji – uzasadnianie własnych poglądów	– streszczenie tekstu źródłowego z własnym komentarzem	– **Część D.** Pisanie
– wypowiedzi na temat ważności polityki w naszym życiu	– wypowiedzi przedstawicieli partii politycznych	– zaangażowanie w życie polityczne w Polsce	– egzamin	– **Część D.** Pisanie
– Europejski Rok Osób Niepełnosprawnych	– opis książki Filipa Jasińskiego *Karta Praw Podstawowych Unii Europejskiej*	– dyskusja o równouprawnieniu	– równouprawnienie kobiet i mężczyzn	– **Część E.** Mówienie
– dialogi związane z wypadkiem	– wypadek samochodowy – definicje słownikowe	– opis przebiegu wypadku	– egzamin	– **Część D.** Pisanie
– wywiad z Izą Murzyn na temat transportu koni	– artykuł prasowy: *Rybom w Bałtyku grozi wyginięcie*	– wyrażanie aprobaty i dezaprobaty – wyrażanie protestu	– list oficjalny	– **Część C.** Rozumienie tekstów pisanych
– audycja radiowa: *Rozmowa z Dziennikarzem Roku*	– artykuł prasowy: *Dziennikarz Roku 2003*	– przeprowadzanie wywiadu (w prostej formie)	– list do profesora	– **Część C.** Rozumienie tekstów pisanych
– informacja radiowa na temat wystawy plakatów	– artykuł prasowy o hasłach reklamowych – opis symboli	– namawianie, wyrażanie opinii o reklamach – opis symbolu – plan kampanii reklamowej	– cechy hasła reklamowego – slogan reklamowy Unii Europejskiej	– **Część C.** Rozumienie tekstów pisanych
– dialogi: wyrażanie upodobania i krytyki	– artykuł prasowy – tekst literacki	– streszczenie filmu, książki – relacja z wydarzenia kulturalnego	– komentarz, opinia o książce, filmie, wydarzeniu – streszczenie tekstu literackiego	– **Część D.** Pisanie
– wywiad z przedstawicielem kościoła ewangelicko-augsburskiego w Polsce	– artykuł prasowy: *Teolog patrzy na Marsa*	– formułowanie pytań i hipotez	– egzamin	– **Część D.** Pisanie

lekcja

1

Sytuacje komunikacyjne doradzanie, przebieg rozmowy
Słownictwo rodzaje egzaminów, dane osobowe
Idiomy: *siedzieć jak na szpilkach, mieć nerwy ze stali*
Gramatyka i składnia Powtórzenie: tryb rozkazujący,
przypuszczający i nieosobowe formy czasowników
Część egzaminacyjna Część A. Rozumienie ze słuchu,
terminy gramatyczne, polecenia do ćwiczeń

Jak nie bać się egzaminu?

Słownictwo

1 **Proszę rozwiązać minitest (czas: 20 sekund).**

1. Jutro mamy egzamin ..... ekonomii.

   a) z   b) na

2. Jutro zdaję egzamin ..... kartę pływacką.

   a) z   b) na

3. Mam ..... czasu.

   a) duży   b) dużo

4. Czy *być może* i *może być* znaczy to samo?

   a) tak   b) nie

5. ..... pójść do lekarza. Chyba jestem chora.

   a) Muszę   b) Mogę

6. Czy tu ..... palić?

   a) wolno   b) należy

7. Polskie góry są bardzo piękne. ..... tu przyjechać.

   a) Lepiej   b) Warto

8. Pilot do telewizora to:

   a) urządzenie.   b) sklep elektryczny.

9. Czy *synowa* i *córka* to synonimy?

   a) tak   b) nie

10. Mam ..... opinię na ten temat.

    a) różną   b) inną

11. Proszę ..... raport finansowy na poniedziałek.

    a) ugotować   b) przygotować

12. Co można ..... w Polsce?

    a) zwiedzić   b) odwiedzić

13. Czy dyrektor reżyseruje filmy?

    a) tak   b) nie

14. Czy denerwujesz się teraz?

    a) tak   b) nie   c) trochę

15. Czy lubisz zdawać egzaminy?

    a) tak   b) nie   c) czasami

Prawidłowe odpowiedzi znajdują się na końcu lekcji.

2 **Jakie skojarzenia mają Państwo ze słowem *egzamin*? Proszę razem z kolegą / koleżanką uzupełnić diagram.**

szkoła

egzamin

3a Osoby na fotografiach właśnie zdawały egzamin. Jak Pan / Pani myśli, z czego był ten egzamin? Komu się powiodło, kto nie zdał, a kto nie jest pewien wyników? Proszę porozmawiać o tym z kolegą / koleżanką.

3b Proszę przeczytać definicję ze słownika języka polskiego:

egzamin* – sprawdzenie wiadomości z danej dziedziny lub umiejętności fachowych, niezbędnych do uzyskania określonych uprawnień, dokonane w ustalonym terminie przez specjalistę. Egzamin ustny, pisemny. Egzamin poprawkowy, komisyjny. Egzamin dyplomowy, magisterski, państwowy. Egzaminy wstępne. Egzamin z fizyki, z historii. Egzaminy na studia. Egzamin na prawo jazdy, na kartę pływacką.

*Słownik współczesnego języka polskiego, red. B. Dunaj, Warszawa 1996

egzamin z czego?
z + dopełniacz

• z polskiego
• z fizyki
• z matematyki
• z ekonomii

egzamin na co?
na + biernik

• na prawo jazdy
• na kartę pływacką
• na studia
• na urzędnika UE

3c Proszę dopasować objaśnienia do haseł.

0. egzamin dojrzałości
1. egzamin wstępny
2. egzamin poprawkowy
3. egzamin ustny
4. egzamin pisemny
5. egzamin magisterski
6. egzamin państwowy

a) obrona pracy magisterskiej
b) egzamin, podczas którego się pisze
c) egzamin, podczas którego się mówi
d) egzamin zdawany w drugim terminie
e) egzamin organizowany przez urząd lub inną instytucję państwową
f) matura
g) egzamin umożliwiający rozpoczęcie dalszej nauki w pewnych typach szkół

4 **Proszę porozmawiać z kolegą / koleżanką i dowiedzieć się:**

1. Ile egzaminów już zdał / zdała w życiu?
2. Ile egzaminów zdawał / zdawała w życiu?
3. Ile egzaminów oblał / oblała?
4. Który egzamin był dla niego / niej najważniejszy?
5. Który egzamin był najtrudniejszy, a który najłatwiejszy?
6. Czy zdawał / zdawała egzamin na prawo jazdy / kartę pływacką? Z jakim skutkiem?
7. Czy podchodził / podchodziła do jakiegoś egzaminu kilka razy? Do jakiego? Dlaczego?
8. Jaki typ egzaminu woli – pisemny czy ustny / teoretyczny czy praktyczny?
9. Jakie są jego / jej sposoby na zdanie egzaminu?

5a **Proszę posłuchać rozmowy studentów i uzupełnić brakujące fragmenty tekstu.**

CD 2

Słownictwo

Piotrek: Cześć, co słychać?

Bogdan: Hej!

Edyta: Cześć, w porządku, ale mów, co u ciebie. Słyszałam, że .... wczoraj egzamin.

Piotrek: No w końcu nie. Wyobraźcie sobie, uczyłem się ponad tydzień i tak nie .... wszystkiego. Ale na szczęście dla mnie egzamin w ostatnim momencie został odwołany.

Edyta: Poważnie?

Bogdan: Żartujesz, jak to?

Piotrek: .... Wczoraj rano wstałem o szóstej – egzamin miał być o ósmej – nie mogłem nic zjeść, bo się strasznie denerwowałem. Ubrałem się elegancko, garnitur, biała koszula, krawat...

Edyta: I co ....? Mów szybciej!

Piotrek: No i poszedłem na uniwersytet. Pod salą, w której miał przepytywać profesor Dioda, nie było nikogo. Poszedłem do .... i dowiedziałem się, że....

Bogdan: À propos sekretariatu..., przepraszam, że przerywam, ale nie ...., czy w piątki sekretariat jest otwarty?

Edyta: .... I co dalej z twoim egzaminem, odwołali go, no ale kiedy będziesz zdawał?

Piotrek: Odwołali, bo profesor jest chory. Jeszcze nie wiadomo, kiedy będzie następny termin. Nie mam pojęcia. .... polega na tym, że profesor poważnie zachorował i jest w szpitalu.

Bogdan: To znaczy, że pewnie ktoś inny będzie egzaminował, może na przykład doktor Grzyb.

Piotrek: Tak ....?

Bogdan: Tak mi się wydaje.

Piotrek: Wiecie co. Przepraszam ...., ale trochę się spieszę.

Edyta: My też musimy iść, ... mamy wykład.

5b **Na podstawie tekstu z ćwiczenia 5a proszę wpisać zwroty oznaczające:**

początek rozmowy	podtrzymanie kontaktu	włączanie się następnej osoby do rozmowy	kończenie rozmowy
Słyszałem, że...	Poważnie?	À propos...	To wszystko.

Jakie inne zwroty tego typu Państwo znają? Proszę je wpisać do tabeli.

5c Proszę połączyć początek zdania z właściwym zakończeniem.

1. Słyszałem / słyszałam, że
2. Wyobraź
3. Poważnie,
4. Problem polega na
5. Chodzi o
6. Przepraszam, ale
7. Przepraszam, że
8. Niestety musimy
9. No i co
10. Czytałem / czytałam

a) przerywam.
b) już iść.
c) tym, że o tym nie wiedzieliśmy.
d) sobie, że egzamin został odwołany.
e) to, że ten egzamin jest bardzo trudny.
f) trochę się spieszę.
g) egzamin został odwołany.
h) jak to?
i) gdzieś, że egzamin z polskiego nie jest trudny.
j) dalej?

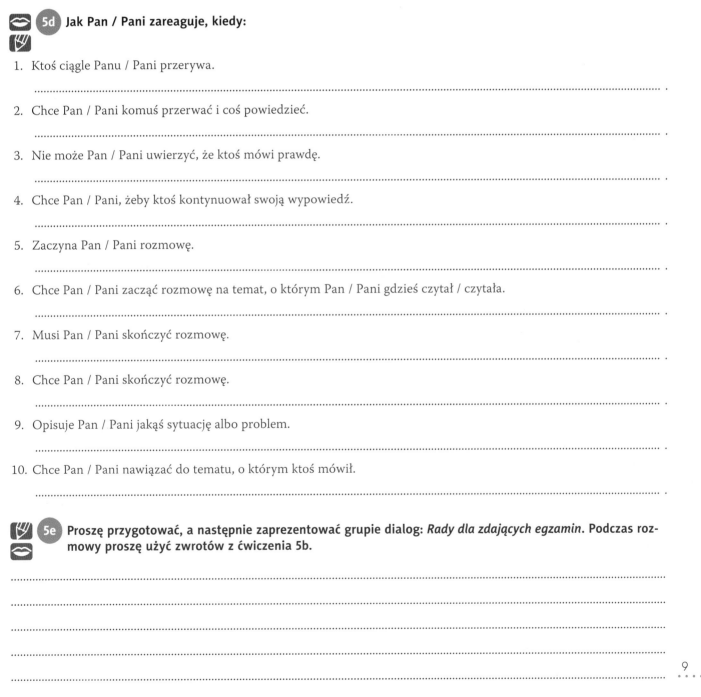

5d Jak Pan / Pani zareaguje, kiedy:

1. Ktoś ciągle Panu / Pani przerywa.

....

2. Chce Pan / Pani komuś przerwać i coś powiedzieć.

....

3. Nie może Pan / Pani uwierzyć, że ktoś mówi prawdę.

....

4. Chce Pan / Pani, żeby ktoś kontynuował swoją wypowiedź.

....

5. Zaczyna Pan / Pani rozmowę.

....

6. Chce Pan / Pani zacząć rozmowę na temat, o którym Pan / Pani gdzieś czytał / czytała.

....

7. Musi Pan / Pani skończyć rozmowę.

....

8. Chce Pan / Pani skończyć rozmowę.

....

9. Opisuje Pan / Pani jakąś sytuację albo problem.

....

10. Chce Pan / Pani nawiązać do tematu, o którym ktoś mówił.

....

5e Proszę przygotować, a następnie zaprezentować grupie dialog: *Rady dla zdających egzamin*. Podczas rozmowy proszę użyć zwrotów z ćwiczenia 5b.

....

....

....

....

....

Naszym zdaniem, po pierwsze, bardzo ważne są ćwiczenia relaksacyjne. Prawidłowe oddychanie pomaga się skoncentrować...
Po drugie...

lekcja 1

Jak radzić sobie
ze stresem

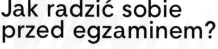

Jak radzić sobie ze stresem i jak uczyć się
w ostatnich dniach przed egzaminem?
– radzi Jolanta Lubowiecka-Zduniak, pe-
dagog z II Liceum Ogólnokształcącego
w Olsztynie. (...)

Jak radzić sobie
przed egzaminem?

1. Po pierwsze ruch. Jest kilka sposobów, które każdy może
   wypróbować: może to być zwykły spacer, ale również jazda na rowerze, ćwiczenia, sporty walki.

2. Spróbuj ćwiczeń relaksacyjnych, np. głębokiego oddy-
   chania.

3. Pij dużo wody.

4. Zrób sobie aromatyczną kąpiel. (...)

5. Pij też napary z ziół uspokajających, np. melisy. Natu-
   ralne metody są pewniejsze niż środki chemiczne i nie
   mają skutków ubocznych.

6. Poproś kogoś o masaż, zwłaszcza górnych części ciała:
   karku i ramion, które w naturalny sposób najszybciej się
   męczą w czasie ślęczenia nad książkami. Zrób też masaż
   stóp.

7. Myśl pozytywnie. To bardzo ważny czynnik, który pomoże
   wygrać walkę ze stresem. Wiele osób – zupełnie niesłusz-
   nie – z góry skazuje się na niepowodzenie. Uważają, że
   nie poradzą sobie z egzaminem. (...)

8. Pomoc ze strony rodziny. Rodzina musi zapewnić dobre
   warunki nauki – spokój w domu. (...)

Jak uczyć się w ostatnich chwilach?

1. Wzrokowcy powinni uczyć się, podkreślając w książkach interesujące ich fragmenty kolorowymi markerami. Mogą też wieszać w różnych miejscach domu karteczki z danymi, datami czy słówkami. To wszystko pomoże im przyswoić część wiadomości.

2. Nie można się „przeuczyć". Po trzech godzinach nauki mózg nie przyswaja już bowiem informacji. Dlatego trzeba robić przerwy. Najlepiej co godzinę. A w tym czasie pójść na spacer. Krótka przerwa nie wystarczy. Trzeba oderwać się zupełnie od myślenia o nauce.

3. Muzyka pomaga skoncentrować się na nauce. Ale nie każda. Najlepsza jest muzyka klasyczna, np. Bach i Mozart rewelacyjnie wpływają na koncentrację.

4. Nie porównujcie się z innymi. Nie zastanawiajcie się, jak wypadnie kolega i czy wasz wynik będzie lepszy czy gorszy niż jego. Musicie chcieć wypaść jak najlepiej na miarę swoich możliwości.

5. Uczcie się na świeżym powietrzu. Ma to bardzo pozytywny wpływ na efekty uczenia się. W dusznej sali zaczynamy odczuwać znużenie, ponieważ brakuje nam tlenu i mamy za mało powietrza.

6b Proszę przeczytać tekst *Jak uczyć się w ostatnich chwilach* i ustalić, które stwierdzenia są prawdziwe (P), a które nieprawdziwe (N).

1. Wzrokowcy to ludzie, którzy najłatwiej przyswajają informacje podane w formie pisemnej. P / N
2. Krótka przerwa co trzy godziny wystarczy, aby mózg odpoczął i łatwiej przyswajał informacje. P / N
3. Słuchanie ulubionej muzyki nie zawsze pozytywnie wpływa na koncentrację. P / N
4. Jeśli chcemy zdać egzamin lepiej niż koledzy, to musimy podwyższyć motywację i będziemy mieli większe szanse na pozytywny wynik. P / N
5. Jeśli będziemy uczyć się na świeżym powietrzu, nie odczuwamy tak szybko znużenia. P / N

6c Proszę wybrać właściwą definicję:

1. *przyswajać wiedzę*
   a) uczyć się, np. przygotowywać się do egzaminu
   b) selekcjonować informacje
   c) zapominać to, czego się nauczyło
2. *(dobrze / źle) wypaść na egzaminie*
   a) przyjść na egzamin
   b) wyjść z egzaminu
   c) osiągnąć określone wyniki na egzaminie
3. *znużenie*
   a) frustracja
   b) zmęczenie
   c) stres

tryb rozkazujący	tryb przypuszczający	nieosobowe formy czasowników (*można, trzeba, warto*)
– Pij dużo wody! – Nie porównujcie się z innymi! – Niech pani zrobi sobie przerwę!	– Gdybym był na twoim miejscu, spróbowałbym zdać ten egzamin! – Na jej miejscu poszłabym już spać!	– Trzeba głęboko oddychać! – Warto słuchać muzyki! – Można pójść na krótki spacer.

7a Proszę udzielić rady w poniższych sytuacjach.

0. Koleżanka ma jutro egzamin, którego się boi.

   ...Na twoim miejscu poszłabym na spacer! ....

1. Kolega ma za godzinę egzamin. Bardzo boli go głowa.

   ....

2. Koleżanka ma jutro egzamin, ale uważa, że nie jest dobrze przygotowana.

   ....

3. Kolega mieszka w akademiku. Nie może się uczyć, bo sąsiedzi zza ściany bardzo hałasują.

   ....

4. Koleżanka przygotowuje się do egzaminu z języka obcego. Chce zapamiętać jak najwięcej słów.

   ....

5. Kolega uczy się polskiego i chciałby mieć konwersacje w tym języku. Nie ma jednak pieniędzy na dodatkowe lekcje.

   ....

6. Koleżanka boi się, że na egzaminie z języka obcego popełni błąd, bo nie zrozumie polecenia.

   ....

7b Osoby na rysunkach będą jutro rano zdawać egzamin. Proszę przygotować z kolegą / koleżanką kilka rad dla nich.

Asia i Karolina uczą się.
Jest noc, 4.00 rano.

Roman i Marcelina
są w klubie.

Grzegorz i Bartek oglądają
mecz w telewizji.

Na miejscu Romana i Marceliny wróciłabym już do domu. Nie powinni...

8a Proszę wypełnić formularz zgłoszeniowy na egzamin z języka polskiego.

Egzamin certyfikatowy z języka polskiego jako obcego
FORMULARZ ZGŁOSZENIOWY

○ Pani ○ Pan	
Imię/imiona:	
Nazwisko:	
Data urodzenia (dzień, miesiąc, rok):	
Miejsce urodzenia (miasto, kraj):	
Obywatelstwo:	
Język ojczysty:	
Adres zameldowania: kraj miejscowość, kod pocztowy ulica, nr domu, nr lokalu	
Adres do korespondencji kraj (jeśli jest inny niż adres zameldowania): miejscowość, kod pocztowy ulica, nr domu, nr lokalu	
Telefon kontaktowy:	+
Adres poczty elektronicznej (e-mail):	
Wybrany poziom egzaminu z języka polskiego:	○ poziom podstawowy (B1) ○ poziom średni ogólny (B2) ○ poziom zaawansowany (C2)
W sesji (proszę wpisać wybrany termin i miejsce egzaminu):	
Gdzie się Pan/i uczył/a języka polskiego?	
Czy przystępuje Pan/i do egzaminu po raz pierwszy (jeśli nie, proszę podać datę i miejsce poprzedniego egzaminu)	○ Tak ○ Nie

Na podstawie Formularza zgłoszeniowego Państwowej Komisji Poświadczania Znajomości Języka Polskiego jako Obcego

8b Proszę wysłuchać nagrania, a następnie uzupełnić brakujące informacje. Nagranie zostanie odtworzone dwukrotnie.

CD 3

FORMULARZ ZGŁOSZENIOWY

na kurs języka polskiego

Imię: _M A M I _ _ _

Nazwisko: _   Płeć: K ☐ M ☐

Wykształcenie: podstawowe ☐ średnie ☐ wyższe ☒

Zawód: _

Data urodzenia (dzień-miesiąc-rok): _ _ / _ _ / _ _ _ _

Miejsce urodzenia: _

Obywatelstwo: _J A P O Ń S K I E _ _ _ _ _ _ _ _ _

Narodowość: _ J A P O Ń S K A _ _ _ _ _ _ _ _ _

Numer paszportu: _C D _ _ _ _ _ _ _ _ _ _ _ _ _ _ _ _ _

Miejsce zamieszkania:

kraj: _P O L S K A _ _ _ _ _ _ _ _ _ _ _ _ _ _ _

miejscowość: _ _ _ _ _ _ _ _ _ _ _ _ _ _ _ kod pocztowy: _ _ - _ _ _

ulica: _K O N O P N I C K I E J _ _ _ nr domu: _ _ _ _ nr lokalu: _ _ _ _

Adres do korespondencji: (wpisać, jeśli jest inny niż adres zamieszkania)

kraj: _

miejscowość: _ _ _ _ _ _ _ _ _ _ _ _ _ _ _ kod pocztowy: _ _ - _ _ _

ulica: _ _ _ _ _ _ _ _ _ _ _ _ _ _ _ nr domu: _ _ _ _ nr lokalu: _ _ _ _

Numer telefonu (+kierunkowy): _0-22 812- _ _ _ _ _ _ _

Adres elektroniczny / e-mail: _ mami@hikyaku.com.jp _ _ _ _ _ _ _

Słownictwo

Idiomy

9a Proszę z kolegą / koleżanką przeczytać poniższy dialog, a następnie dopasować rysunki do podanych wyrażeń.

– Cześć, co u ciebie?
– Wszystko w porządku. Wczoraj zdawałam egzamin wstępny na Akademię Ekonomiczną.
– I jak ci poszło?
– Myślę, że dobrze.
– Denerwowałaś się?
– Nie, chociaż było dziesięciu kandydatów na jedno miejsce. Nie zdam w tym roku, to zdam w następnym. Ale moi rodzice siedzieli przed salą egzaminacyjną jak na szpilkach.
– Ty naprawdę masz nerwy ze stali.

9b Proszę wybrać właściwą definicję.

siedzieć jak na szpilkach oznacza:
• siedzieć na niewygodnym krześle
• denerwować się
• być zmęczonym

mieć nerwy ze stali oznacza:
• być niewrażliwym
• być pesymistą
• być spokojnym w stresującej sytuacji

10a Dostaje Pan / Pani formularz egzaminacyjny. Musi Pan / Pani przeczytać uważnie POLECENIA do ćwiczeń, żeby wiedzieć, co trzeba zrobić. Oto niektóre często pojawiające się polecenia. Proszę wyjaśnić je grupie.

A. Proszę opisać osobę przedstawioną na ilustracji.

B. Proszę napisać krótki tekst argumentacyjny na temat...

C. Proszę zaznaczyć poprawną odpowiedź.

D. Proszę dopasować fragment tekstu do odpowiedniego tytułu.

E. Proszę wybrać właściwy przyimek.

F. Proszę podkreślić właściwe formy.

10b A teraz proszę dopasować polecenia z ćwiczenia 10a do fragmentów ćwiczeń.

1. ....
....

na   do √w   za   przy

Mieszkam ...*w*... Krakowie, ... ulicy Karmelickiej. Często jeżdżę .... mojej dziewczyny .... Słowację. .... dwa lata przeprowadzam się.

3. ....
....

RTV

Ten napis oznacza, że :
a) tu można kupić telewizor.
b) tu można kupić chleb.
c) tu można kupić ubranie.

Palenie zabronione

Ten napis oznacza, że:
a) tu trzeba palić.
b) tu można palić.
c) tu nie wolno palić.

5. ....
....

Plusy i minusy Internetu

Internet jest jednym z najważniejszych wynalazków ubiegłego wieku. Jego rola we współczesnym świecie jest z dnia na dzień coraz większa. Spróbujmy zastanowić się, jaki wpływ ma Internet na nasze życie. Z jednej strony...

2. ....
....

4. ....
....

Pracuję nad nowym (projekcie, <u>projektem</u>, projektu), który jest (kontynuacja, kontynuacji, kontynuacją) innej znanej już (inicjatyw, inicjatywie, inicjatywy). Miała ona początek w 2003 (rokiem, roku, rok).

6. ....
....

☐ 1. **Język obcy w szkole**
[a] 2. **Turystyka krajowa**
☐ 3. **Jem, więc jestem**

a) Coraz więcej turystów spędza wakacje w kraju. Głównym powodem decyzji o pozostaniu w kraju jest brak funduszy.

b) Polacy bardzo cenią rodzimą kuchnię. Ale coraz częściej na naszych stołach pojawiają się potrawy z innych krajów.

c) Minister edukacji podjęła decyzję o likwidacji dodatkowych zajęć z języków obcych. Ta decyzja spotkała się z protestem rodziców.

W podręcznikach *PO POLSKU 1* i *PO POLSKU 2* mieli Państwo okazję zapoznać się z terminami gramatycznymi. Ich znajomość jest również niezbędna do prawidłowego zrozumienia polecenia. Oto mały test:

A Proszę dopasować termin gramatyczny do podanej części mowy:

	a) właściwy
	b) ciebie
0. rzeczownik	c) podany
	d) zrobiony
1. czasownik	*0* e) element
2. przymiotnik	f) dla
	g) ja
3. przysłówek	h) dopasować
	i) dobrze
4. przyimek	j) dobry
	k) przed
5. zaimek	l) źle
	ł) zły
6. imiesłów	m) przeczytać
	n) zdawać

B Proszę powiedzieć, w jakiej liczbie występują podane słowa – pojedynczej czy mnogiej?

> drzwi ludzie czas źli mieli
> grupa większość im zdający uczący

Drzwi to rzeczownik w liczbie mnogiej.

C* Dla których części mowy podanych w punkcie A ważna jest kategoria rodzaju i liczby?

Rzeczownik odmienia się przez rodzaj i liczbę.
Przysłówek jest nieodmienny.

D Proszę odmienić rzeczownik *czas* i ułożyć zdania z jego formami w przypadkach z tabeli:

dopełniacz	*czasu*	*Nie mam czasu.*
celownik		
biernik		
narzędnik		
miejscownik		

A jakie są nazwy pozostałych dwóch przypadków w języku polskim?

E Na jakie pytania odpowiadają rzeczowniki w tych przypadkach? Proszę podać przykłady pytań w tych przypadkach.

Biernik odpowiada na pytanie „kogo? co?"
„Kogo spotykasz codziennie?", „Co robisz, żeby zdać egzamin?"

F Proszę uzupełnić tabelę.

tryb oznajmujący	tryb rozkazujący	tryb przypuszczający
Uczysz się systematycznie.		Uczyłbyś się systematycznie.
	Ćwicz przynajmniej 20 minut dziennie!	
Myślisz pozytywnie.		
	Pij dużo wody!	

G Proszę zdecydować, które czasowniki mają formę dokonaną, a które niedokonaną?

0. <u>Zrobiłbyś</u> mi herbatę. – *forma dokonana czasownika*
1. Przyjdź jutro.
2. Poproś kogoś o masaż.
3. Zdajemy egzaminy dwa razy w roku.
4. Powtarzam materiał.
5. Oglądałem ten film.
6. Przeczytam ten komentarz jutro.
7. Napisałam już moją pracę magisterską.

Część A. Rozumienie ze słuchu

CD 4 **I** Wypowiedzi pojedyncze. Proszę uważnie słuchać i zaznaczać właściwe odpowiedzi. Nagranie będzie odtworzone tylko jeden raz.

0. Ta wypowiedź to:
   a) pytanie,
   b) rada,
   c) prośba.

1. Ta wypowiedź to:
   a) prośba,
   b) pytanie,
   c) warunek.

2. Ta wypowiedź to:
   a) pochwała,
   b) rada,
   c) polecenie.

3. Ta wypowiedź jest możliwa:
   a) w pralni,
   b) w czytelni,
   c) w kawiarni.

4. Ta wypowiedź jest możliwa:
   a) przed egzaminem,
   b) w czasie egzaminu,
   c) po egzaminie.

5. Ta wypowiedź to:
   a) pytanie o osobę,
   b) pytanie o czas,
   c) pytanie o miejsce.

6. Ta wypowiedź to:
   a) rada,
   b) pytanie,
   c) pochwała.

7. Ta wypowiedź to:
   a) odpowiedź,
   b) prośba,
   c) protest.

8. Ta wypowiedź to:
   a) krytyka,
   b) protest,
   c) propozycja.

9. Ta wypowiedź jest możliwa:
   a) w toalecie,
   b) na dworcu,
   c) na uniwersytecie.

10. Ta wypowiedź to:
   a) pytanie,
   b) pochwała,
   c) polecenie.

CD 5 **II** Proszę wysłuchać czterech krótkich dialogów i uzupełnić brakujące fragmenty tekstu. Nagranie zostanie odtworzone dwukrotnie.

1.
– Jak ci ...*poszło*...^{0}?
– Nie ma jeszcze ....^{1}, ale uczyłem się dużo, więc ....^{2}, że będzie dobrze.

2.
– No i co, ...^{3}?
– Było naprawdę trudno, ale ....^{4} mi się.

3.
– No i ....^{5}?
– Czuję, że poszło mi nienajlepiej. Nie ....^{6} na dwa pytania.

4.
– Słyszałam, że ....^{7}?
– Nie wiem, jak to się stało, naprawdę długo się ....^{8} . Po prostu mi się nie powiodło.

CD 6 **III** Ankieta uliczna. Zapytaliśmy przechodniów na ulicy, jaką radę mogą dać zdającym egzamin. Proszę wysłuchać odpowiedzi i zaznaczyć, czy poniższe zdania są prawdziwe (P) czy nieprawdziwe (N). Nagranie zostanie odtworzone dwukrotnie.

0. Ważne jest, żeby się nie denerwować.   Ⓟ / N

1. W noc przed egzaminem trzeba się uczyć do późna.   P / N

2. Trzeba się uczyć i powtarzać materiał do ostatniej chwili.   P / N

3. W przeddzień egzaminu warto wyjść z domu, żeby się zrelaksować.   P / N

4. Powinieneś powtarzać materiał wieczorem przed snem.   P / N

5. Powtórki generalnej nie można robić w ostatni wieczór przed egzaminem.   P / N

6. Warto, żeby ktoś cię przepytał tydzień przed egzaminem.   P / N

Odpowiedzi do minitestu z ćwiczenia 1:

1a, 2b, 3b, 4b, 5a, 6a, 7b, 8a, 9b, 10b, 11b, 12a, 13b

lekcja

2

Sytuacje komunikacyjne wyrażanie sposobu, pytanie o informację (wstęp)

Słownictwo nauka, sposoby uczenia się, zapamiętywanie informacji Idiomy: *mieć w głowie groch z kapustą, łamać sobie język, nie dawać za wygraną, trening czyni mistrza, nie mieć pojęcia*

Gramatyka i składnia Powtórzenie: przymiotnik a przysłówek, okoliczniki sposobu, zaimki pytajne: *jak?* w opozycji do: *jaki?, jaka?, jakie?*

Część egzaminacyjna Część C. Rozumienie tekstów pisanych

Jak się uczysz języka?

 1 Proszę zapytać kolegę / koleżankę.

1. Czy zna już jakiś język obcy?

2. Czy znajomość jednego języka obcego pomaga w nauce następnego? Co jeszcze pomaga?

3. Która ze sprawności jest dla niego / niej najtrudniejsza? Pisanie, mówienie, czytanie czy rozumienie? Dlaczego?

4. W jaki sposób najlepiej zapamiętuje słowa i zwroty? Czy musi je widzieć? Słyszeć? A może „czuć"? Czy w jego / jej domu wiszą karteczki ze zwrotami do zapamiętania? A może słucha płyt kompaktowych (kaset) z nagranymi lekcjami? Jakie inne metody proponuje?

5. Jaki typ ćwiczenia jest dla niego / niej szczególnie trudny?

6. Jaki typ ćwiczenia jest dla niego szczególnie nudny?

2 Proszę przeczytać tekst, następnie zrobić ćwiczenia A–E i zdecydować, które z nich jest dla Pana / Pani szczególnie efektywne, ciekawe, ważne. Dlaczego?

A Proszę, pracując w małych grupach, zrobić listę 5 najważniejszych informacji podanych w tekście. Uwaga! Nie zaglądamy do tekstu!

0. *Ponad 40 procent Europejczyków porozumiewa się po angielsku.*

1. ....

2. ....

3. ....

4. ....

5. ....

41 procent mieszkańców Unii Europejskiej potrafi się porozumieć po angielsku. Dane te obejmują także Brytyjczyków, którzy
5 stanowią około 16 procent ludności UE. W Danii, Holandii i Szwecji angielski zna prawie 78 procent ludności. Kolejne miejsca na liście unijnych języków obcych zajmują francuski, niemiecki i hiszpański.
10 Aż 74 procent Europejczyków nie zna żadnego języka obcego, a tylko 8 procent potrafi się porozumieć w trzech językach. Najmniej skłonni do nauki języków obcych są Brytyjczycy, z których 66 procent
15 zna tylko język ojczysty. Po drugiej stronie tej skali znalazł się Luksemburg, gdzie prawie 80 procent mieszkańców potrafi się porozumieć w języku obcym.

B A teraz na forum grupy proszę przedstawić zapisane informacje. Przedstawiciel każdej grupy czyta swoją listę. Czy są one prawdziwe? Czy dobrze zapamiętali Państwo dane o Europejczykach? Jeżeli wersje są różne, proszę sprawdzić w tekście i porównać je. Następnie zapisać je na tablicy.

C Proszę wypisać w dwóch kolumnach nowe słowa i zwroty z tekstu.

porozumieć się	*prawie*
zajmować	*skala*

D Proszę ułożyć zdania ze słowami znajdującymi się w tej samej linii.

Prawie wszyscy Europejczycy potrafią porozumieć się w jakimś języku obcym.

....

....

....

....

....

....

....

....

● Słownictwo

E Proszę na kartce przetłumaczyć tekst z ćwiczenia 2 na swój język. Następnie spróbować przetłumaczyć go ze swojego języka ponownie na polski. Jaki jest efekt? Ile procent tekstu udało się zrekonstruować?

F Proszę odpowiedzieć na pytania:

1. Które z powyższych ćwiczeń A – E Pana / Pani zdaniem jest adresowane do:
 – wzrokowców,
 – słuchowców,
 – kinestetyków?
Dlaczego?

2. Które z ćwiczeń jest adresowane do:
 – studentów lubiących pracę indywidualną,
 – studentów lubiących pracę w grupie?
Dlaczego?

3. Które z ćwiczeń rozwija sprawność:
 – mówienia,
 – pisania,
 – czytania,
 – rozumienia ze słuchu?

G Na podstawie powyższych pytań proszę powiedzieć:

1. Co Pana / Pani zdaniem pomaga najbardziej skutecznie uczyć się języka obcego?
2. Jaki typ ćwiczeń z zaprezentowanych powyżej lubią Państwo najbardziej?

WYRAŻANIE SPOSOBU

- Jak to się pisze / wymawia?
- Jak się mówi po polsku …… ?
- Czy można tak powiedzieć?
- W jaki sposób się uczysz?
- Jak on mówi po polsku?
- Jakie metody stosujesz?

- To się pisze / wymawia tak:…
- Uczę się w ten sposób:…
- Uczę się, czytając / pisząc / słuchając.
- Uczę się najlepiej / najszybciej, kiedy…
- Uczę się przez bezpośredni kontakt / poprzez gry i zabawy / poprzez uczestnictwo w kursie językowym.
- On mówi po polsku dobrze / bez akcentu / fantastycznie / biegle / świetnie / dobrze / słabo…
- Lubię pracować w parach / w grupie / z partnerem / indywidualnie.
- Trudno powiedzieć.

CD 7–11

3a Proszę wysłuchać wypowiedzi pięciu osób, które opowiadają o swoich ulubionych metodach nauki języka obcego, a następnie uzupełnić tabelę.

Która z tych osób...

	Rolland	Erna	Joasia	Swen	Marcus
0. lubi chodzić na kursy językowe?	☐	☐	X	☐	☐
1. nie lubi pracy w grupie?	☐	☐	☐	☐	☐
2. lubi pracować z partnerem?	☐	☐	☐	☐	☐
3. lubi pracować indywidualnie?	☐	☐	☐	☐	☐
4. lubi nietypowe metody nauki języka?	☐	☐	☐	☐	☐
5. ma swoją metodę nauki języka?	☐	☐	☐	☐	☐
6. jest wzrokowcem?	☐	☐	☐	☐	☐
7. jest słuchowcem?	☐	☐	☐	☐	☐
8. jest kinestetykiem?	☐	☐	☐	☐	☐

Gramatyka ●

CD 7–11

3b Proszę wspólnie z kolegą / koleżanką odpowiedzieć na poniższe pytania.

1. Jakie metody nauki języka lubią wypowiadające się osoby? Jak się uczą?
2. Dlaczego zdefiniowali Państwo wypowiadające się osoby jako typ:
   a) wzrokowca?
   b) słuchowca?
   c) kinestetyka?
3. Co decyduje o sposobie, w jaki lubią się uczyć ankietowane osoby?
   a) wiek
   b) charakter lub temperament
   c) motywacja

4 Proszę uporządkować podane słowa i wyrażenia, w zależności od tego, czy odpowiadają one na pytanie *jak?* czy *jaki? jaka? jakie?*.

indywidualnie   w grupie   poprzez bezpośredni kontakt   szybki   intensywna   tak   z partnerem   nietypowe   biegle   słabo   dobre

Jak? W jaki sposób?	Jaki? Jaka? Jakie?

5 Proszę ułożyć pytania do podkreślonych w zdaniach elementów. Proszę użyć zaimków pytajnych *jak, jaki, jaka, jakie.*

0. Mówię <u>dość dobrze</u>.   *Jak mówisz po polsku?*

W <u>taki</u> sposób, aby było to najbardziej efektywne.   *W jaki sposób uczysz się języków?*

1. Praca w grupie jest dla mnie <u>stresująca</u>.   ....

2. Młode osoby uczą się <u>szybciej</u>.   ....

3. Pracujemy <u>w parach albo w małych grupach</u>.   ....

4. Ta metoda jest dla mnie <u>najlepsza</u>.   ....

5. Lubię <u>nietypowe</u> metody nauki.   ....

6. Zrobiłbym to <u>tak</u>.   ....

7. Tylko <u>taka</u> metoda jest skuteczna.   ....

8. Znam niemiecki bardzo <u>słabo</u>.   ....

6 Proszę przeprowadzić w grupie ankietę dotyczącą tego, w jaki sposób lubimy uczyć się języków obcych. Proszę zadać kilku osobom poniższe pytania. Następnie proszę podsumować wyniki ankiety. Jaki sposób uczenia się języków jest najpopularniejszy?

• *Najwięcej osób w grupie lubi uczyć się...*
• *Większość osób chętnie...*
• *90% badanych deklaruje, że...*

Kto?

1. ... lubi uczyć się języka na kursie.			
2. ... ma swoją (własną) metodę nauki słówek. Jaka to metoda?			
3. ... lubi uczyć się gramatyki.			
4. ... lubi czytać teksty.			
5. ... lubi pracować w parach.			
6. ... ogląda filmy w oryginalnej wersji językowej.			
7. ... często słucha nagrań do nauki języka. Gdzie ich słucha?			
8. ... czyta książki w oryginale.			
9. ... tłumaczy teksty piosenek.			
10. ... chętnie wyjeżdża za granicę, żeby lepiej poznać język.			

7 Praca w grupach. Proszę razem z kolegą / koleżanką wypisać na kartce wyrazy, które brzmią podobnie zarówno w języku polskim, jak i w innych językach, np. *kot, rezultat, ambitny, praktykować*. Następnie proszę przekazać tę kartkę sąsiedniej grupie, której zadaniem będzie ułożenie jak najkrótszego tekstu z jak największą liczbą tych wyrazów.

8 Proszę przeczytać poniższy tekst, a następnie zastąpić podkreślone słowa wyrazami podanymi w ramce.

Pisałem już o <u>bookowaniu</u>, ale to, co dostałem w piśmie zatytułowanym „Brief na liner", oznaczało dla mnie <u>apgrejdowanie</u>, jakby powiedzieli spece od komputerów – jak gdybym osiągnął kolejny <u>level</u> w grze. Ów brief przysłała mi pewna stacja radiowa. Dokument
5 proponował pracę przy zmianie <u>linera</u> stacji. W propozycji były podstawowe informacje: <u>client</u>, <u>brand</u> i <u>project</u>. (...) Pismo przeczytałem dokładnie. Stanowiło świetny przewodnik po angielskiej polszczyźnie, bo obok angielskich wyrażeń pojawiły się w nim tłumaczenia. Był więc „background, czyli sytuacja", „jednolity program, czyli flow",
10 „target group", czyli odbiorcy bądź, precyzyjniej, „grupa docelowa". (...) Celem stacji jest między innymi „kształtowanie trendów lifestylowych". I tu się spotkaliśmy – bo moim celem też jest wpływanie na styl życia. Chciałbym, żebyśmy się rozumieli. Nie lubię epatowania „<u>requestami</u>", „<u>reminderami</u>" i „<u>memo</u>", choć sam forwarduję maile
15 i surfuję po necie w poszukiwaniu nowych słów. Najśmieszniejsze, jakie znalazłem ostatnio, to „zchałmaczować" – „spytać o cenę".

1. *uaktualnienie, podniesienie poziomu, przejście na wyższy poziom –*
2. *hasło programowe –*
3. *rezerwacja –*
4. *marka –*
5. *klient –*
6. *przypomnienie –*
7. *projekt –*
8. *prośba, życzenie, wniosek –*
9. *poziom –*
10. *notatka służbowa –*

www.translatorscafe.com

9 Proszę szybko przeczytać (po cichu) poniższy tekst. Czy potrafi go Pan / Pani zrozumieć mimo błędów? Następnie proszę poprawić ten tekst i odczytać go na głos.

```
Zdognie z nanjwoyszmi baniadami bytyrijskch
uweniretsytów nie jset wżana kojnoleść ltier
przy cztynaiu sółw. Nwajżaniejsze jest, aby
prieszwa i otatsnia lteria była na dborym
mijsecu. Rszeta mżoe być nie po kloei i
nie pwinono być polbemórw ze zozumierniem
tksetu. Dzijee się tak datgelo, że nie czatymy
wyszistkch lteir w sołwie, ale cłae sołwa.
```

Polberm z tkesetm?

10 Czy ma Pan / Pani zdolności językowe? Proszę rozwiązać poniższy test.

TEST NA INTELIGENCJĘ JĘZYKOWĄ

0. Relacja między stopą i kolanem jest taka jak dłoni i:

   a) PALCA

   b) ŁOKCIA

   c) STOPY

   d) RĘKI

1. Które słowo nie pasuje do pozostałych?

   a) METR

   b) KILOMETR

   c) MILA

   d) KILOGRAM

2. Który z wyrazów nie pasuje do pozostałych?

   a) JABŁKO

   b) POMARAŃCZA

   c) CYTRYNA

   d) CEBULA

3. Relacja między mlekiem i szklanką jest taka jak listu i:

   a) ZNACZKA

   b) DŁUGOPISU

   c) KOPERTY

   d) LISTONOSZA

4. Piotr jest właścicielem sklepu. Oto nazwy jego towarów: TUKASKY, ORIDEECH, ILELI, ULAPITYN. Sklep jakiej branży prowadzi Piotr?

   a) KWIACIARNIA

   b) KSIĘGARNIA

   c) SEX SHOP

   d) SPOŻYWCZY

 11 Proszę przeczytać poniższe fragmenty tekstu, a następnie ułożyć je w odpowiedniej kolejności.

Badania inteligencji po 66 latach

A Wysilasz się intelektualnie, rozwiązujesz łamigłówki, dużo czytasz. Liczysz, że wzrośnie twój iloraz inteligencji? Nic z tego – twoje IQ zapewne nie zmieni się przez całe życie.

B 66 lat później Ian Deary z Uniwersytetu w Edynburgu losuje 101 osób z żyjących uczestników pierwszego testu. Daje im takie same zadania jak te z pierwszego testu. Zmienia nieznacznie tylko dwa pytania. (...) Uczestnicy mają na ich rozwiązanie 45 min.

C Okazuje się, że średnie wyniki są nieco lepsze od tych sprzed 66 lat – wynoszą 54,2 pkt. Jednocześnie okazuje się, że ci, którzy w dzieciństwie wypadli słabo, nadal nie radzą sobie z zadaniami, a ci, którzy byli najlepsi, wciąż mają świetne wyniki. Jedna kwestia zaskakuje badaczy. Tym razem kobiety mają nieco gorszy wynik – średnio 52,8 pkt, a mężczyźni 55,7 pkt. Czy to znaczy, że umysł kobiet starzeje się szybciej?

D W 1932 r. Szkockie Biuro Badań Edukacyjnych postanawia przeprowadzić badanie inteligencji dzieci urodzonych w 1921 r. Test odbywa się 1 czerwca we wszystkich szkołach państwowych Szkocji i obejmuje ponad 87 tys. uczniów. Jedenastolatkowie rozwiązują zadania na rozumienie poleceń, przyporządkowania słów, analogie, wnioskowanie. Z możliwych 76 pkt. dzieci średnio uzyskują 43,5 pkt. Dziewczynki są nieco lepsze – dostają 43,9 pkt, chłopcy 43,1.

„Gazeta Wyborcza" 2003, nr 238

Które z informacji ogólnych Państwo zapamiętali?
Które dane liczbowe udało się Państwu zapamiętać?

12a Proszę przeczytać poniższe dialogi, a następnie odpowiedzieć na pytania:

– Cześć, mamo, co słychać?
– Cześć, córeczko, dobrze, że zadzwoniłaś! Za tydzień mam egzamin z angielskiego i właśnie miałam napisać do ciebie e-maila, żebyś przyjechała mi pomóc.
– A z czym masz problemy?
– Ze wszystkim! Poszłam dzisiaj do księgarni po książkę do gramatyki, ale nie mam pojęcia, co kupić! Tam są setki, miliony książek do angielskiego! Może mi coś poradzisz?
– Nic się nie martw, przywiozę ci dobrą książkę.
– Kasiu, a pomożesz mi trochę? Nie umiem wymawiać niektórych słów, łamię sobie język, kiedy próbuję je przeczytać.
– Pomogę. Przyjadę i poćwiczymy razem, a po tygodniu będziesz mówiła jak królowa angielska.

(6 dni później)
– Cześć mamo, co się stało? Jest 5.00 rano!
– To koniec! Uczyłam się całą noc i wszystko mi się miesza, mam w głowie groch z kapustą.
– Mamo, idź spać, za kilka godzin masz egzamin.
– Nie pójdę na ten egzamin. Nie zdam go.
– Mamo, nie dawaj za wygraną, przecież tak dużo się uczyłaś! Na pewno zdasz!

(po egzaminie)
– Zdałam!!!
– A nie mówiłam! O co cię zapytali na egzaminie ustnym?
– Poprosili, żebym opowiedziała o swoich ostatnich wakacjach!
– Naprawdę? Ten temat powtarzałyśmy chyba 100 razy!
– No właśnie, nie zrobiłam żadnego błędu. Mówiłam jak królowa angielska!
– A widzisz! Mówiłam ci, że trening czyni mistrza!

1. Jak Pan / Pani myśli, dlaczego matka Kasi uczy się angielskiego? Kim jest z zawodu?
2. Jakie są relacje między matką i córką?
3. Jak można określić charaktery matki i córki?

12b Czy wie Pan / Pani, co oznaczają poniższe wyrażenia?

Nie mam pojęcia, co kupić!
• Matka Kasi nie wiedziała, którą książkę kupić.
• Matka Kasi nie mogła się zdecydować, czy kupić książkę do angielskiego.

Łamię sobie język!
• Matka Kasi nie umie wymówić niektórych słów.
• Matka Kasi postanowiła, że nie będzie już czytała po angielsku.

Mam w głowie groch z kapustą.
• Matka Kasi wszystko zapomniała.
• Matka Kasi ma w głowie chaos.

Nie dawaj za wygraną!
• Kasia mówi matce, żeby się nie martwiła.
• Kasia mówi matce, żeby nie rezygnowała.

Trening czyni mistrza.
• Kasia uważa, że matka zdała egzamin, ponieważ ktoś jej pomagał.
• Kasia uważa, że matka zdała egzamin, bo dużo się uczyła.

12c Proszę wymienić sytuacje, w których możemy użyć tych wyrażeń. Proszę napisać tekst, w którym użyje Pan / Pani przynajmniej dwu poznanych idiomów.

Część C. Rozumienie tekstów pisanych

 Po przeczytaniu fragmentów artykułu *Ćwicz głowę* zamieszczonych poniżej proszę zaznaczyć poprawną odpowiedź.

0 Zaawansowane badania nad ludzkim umysłem trwają grubo ponad sto lat, a ostatnio przybyło sporo nowej wiedzy. Coraz lepiej potrafimy mierzyć inteligencję, coraz więcej wiemy na temat pojemności i budowy pamięci. Tę wiedzę da się przełożyć na rozmaite techniki ułatwiające uczenie się i zapamiętywanie. Początek września wydaje się dobrym momentem do rozpoczęcia takiego treningu również dla tych, którzy szkołę dawno skończyli.

Ten tekst informuje, że:

a) coraz częściej mierzymy inteligencję;
b) mamy coraz więcej informacji na temat pamięci;
c) początek września to dobry termin na mierzenie inteligencji.

 1 Już nawet niektóre prywatne przedszkola wabią rodziców treningami pamięci, którym poddane zostaną ich pociechy od najmłodszych lat. Co sugeruje, że poprzez odpowiednie ćwiczenia uda się pamięć rozciągnąć jak gumę albo, jak w komputerze, dołożyć kolejne moduły i megabajty.

Ten tekst informuje, że:

a) w niektórych przedszkolach dzieci regularnie ćwiczą pamięć;
b) rodzice cieszą się, że dzieci chodzą do przedszkola;
c) w niektórych przedszkolach dzieci regularnie ćwiczą i grają w gumę.

 2 Panuje przekonanie, że człowiek wykorzystuje zaledwie kilka procent możliwości swojego mózgu. Czy setki tysięcy lat ewolucji dałyby jednak wybitnie nieracjonalny produkt: mózg z tak ogromną liczbą pustych półek? Można wprawdzie spotkać ludzi obdarzonych niezwykłą, dosłownie fotograficzną pamięcią, ale bardzo często płacą oni za te fenomenalne zdolności wysoką cenę. Ich pamięć jest jak śmietnik, z którego trudno potem cokolwiek wyrzucić.

Ten tekst mówi, że:

a) kurs ćwiczenia pamięci jest drogi;
b) niektórzy ludzie mają pamięć prawie absolutną;
c) ewolucja spowodowała, że ludzie wykorzystują kilka procent swojej inteligencji.

3

Zdaniem Alana Baddeleya, profesora psychologii eksperymentalnej z University of Bristol, pamięć to nie mięśnie, które można powiększać i utrzymywać w formie, chodząc na siłownię. Ludzie żyjący w kulturach, w których od najmłodszych lat wkuwa się setki stron świętych tekstów, wcale nie nabywają jakichś fenomenalnych zdolności zapamiętywania. Naukowcy porównali nawet umiejętności dzieci z pewnej wyznaniowej wiejskiej szkoły w Maroku, w której głównie uczono na pamięć wersetów Koranu, z młodymi Marokańczykami i Amerykanami uczęszczającymi do normalnych szkół. Okazało się, że pojemność ich pamięci niczym się nie różni. Te pierwsze wypadały w testach nawet trochę gorzej.

Z tego tekstu wynika, że:

a) pamięć można powiększać podobnie jak mięśnie, chodząc do fitness klubu;

b) naukowcy badali umiejętności dzieci;

c) pamięć dzieci z Ameryki różniła się od pamięci dzieci z Maroko.

4

Wnioski z tego badania potwierdza również inny eksperyment: 84 dwunastoletnie uczennice podzielono na cztery grupy – trzy przez sześć tygodni ćwiczyły pamięć po pół godziny dziennie (jedna zapamiętywała fragmenty poezji, druga rozmaite liczby, trzecia wzory chemiczne, matematyczne oraz odległości geograficzne), a czwarta w ogóle nie ćwiczyła. Po zakończeniu eksperymentu okazało się, że dziewczęta czwartej grupy w niczym nie ustępowały pozostałym pod względem sprawności pamięciowej.

Ten tekst informuje, że:

a) w eksperymencie brały udział cztery uczennice;

b) cztery uczennice ćwiczyły pamięć po pół godziny dziennie;

c) jedna z grup nie ćwiczyła pamięci.

5

Myśląc o pamięci, zazwyczaj wyobrażamy ją sobie jako stopniowo zapełniany magazyn, który znajduje się gdzieś w określonym miejscu mózgu. Tymczasem naukowcy są coraz bardziej przekonani, że nie istnieje jeden „ośrodek pamięci". W latach pięćdziesiątych próbowano nawet zlokalizować go u szczurów, które uczono odnajdywania drogi w labiryncie, a następnie usuwano im różne części kory mózgowej i badano, czy nie zapomniały nabytej umiejętności. Próby te jednak zakończyły się całkowitym fiaskiem. Dzisiaj wiemy już, że w tworzenie śladów pamięciowych zaangażowanych jest wiele różnych ośrodków znajdujących się zarówno w „starych", jak i „nowszych" ewolucyjnie częściach mózgu.

Zgodnie z tym tekstem:

a) naukowcy sądzą, że nie ma jednego centrum pamięci;

b) naukowcy sądzą, że jest jedno centrum pamięci;

c) naukowcy zlokalizowali centrum pamięci u szczurów.

II Proszę poukładać podane fragmenty artykułu *Ćwicz głowę* w logicznej kolejności.

| *0* | Mnemotechniki pokazują, jak wiele daje przetworzenie materiału przeznaczonego do |

| | końca uporządkowana, a pewna zamierzona niedokładność sprzyja zapamiętywaniu, zmusza ucznia do zaangażowania w czytany |

| | zapamiętania, nadanie mu formy |

| | aktywnie. Bez tego zapamiętywanie będzie żmudną udręką. Najmniej skuteczna metoda |

| | szkolne pisane są tak, by ułatwić uczenie się. Wiedza nie jest w nich do |

| | tekst. Psychologowie radzą wręcz, by urozmaicać formalny układ podręczników. Uczyć się jak najbardziej |

| | uczenia się to bezmyślne kucie gotowców. |

| | łatwiejszej do przyswojenia i bardziej angażującej uwagę. Niektóre podręczniki |

III Proszę przeczytać fragment artykułu *Ćwicz głowę* i zaznaczyć odpowiedzi, które są prawdziwe (P) i nieprawdziwe (N).

Pamiętać to jedno, ale czym zapełniać pamięć? Na pewno warto więcej i szybciej czytać. Każdy dałby wiele za zdolność połykania kilkuset słów na sekundę i możliwość przeczytania *Pana Tadeusza* w pięć minut. A są ludzie, niebędący żadnymi wybrykami natury, którzy to potrafią. (...)

Na kursy szybkiego czytania najczęściej zgłaszają się uczniowie gimnazjów i szkół średnich, studenci oraz osoby dorosłe dokształcające się na własne potrzeby. Tradycyjny kurs grupowy kosztuje co najmniej 500 zł, a indywidualny minimum 2000 zł. Na pewno tańsze są programy komputerowe i książki do samodzielnej nauki – *Superczytanie. Jak uczyć się trzy razy szybciej, Błyskawiczne czytanie i techniki pamięciowe* czy *Podręcznik szybkiego czytania* autorstwa guru tej metody Tony'ego Buzana.

Warto czytać szybciej, ale nie za szybko. – W czytaniu tekstu najważniejsze jest jego zrozumienie. Kursy szybkiego czytania nie ułatwiają tego. Wydają się sztuką dla sztuki, prześciganiem się w biciu kolejnych rekordów – twierdzi dr Anna Wasilewska, adiunkt w Instytucie Pedagogiki na Uniwersytecie Gdańskim. – Testy badające szybkość czytania sprawdzają tylko jeden z jego aspektów technicznych: jak szybko potrafimy dekodować znaki, ale nie całościową umiejętność czytania – dodaje.

0. Dobrze jest więcej i szybciej czytać.   P /(N)
1. Niektóre osoby umieją przeczytać *Pana Tadeusza* w kilka minut.   P / N
2. Treningami szybkiego czytania interesują się osoby w różnym wieku.   P / N
3. Kurs indywidualny kosztuje nie więcej niż dwa tysiące złotych.   P / N
4. Podręczniki do indywidualnej nauki kosztują mniej niż kurs.   P / N
5. Jeśli czyta się tekst, najważniejsze jest, by zrobić to jak najszybciej.   P / N
6. Testy na szybkość czytania sprawdzają wszystkie aspekty tej umiejętności. P / N

lekcja

3

Sytuacje komunikacyjne wyrażanie uznania i komplementu, wyrażanie sposobu, określanie przeznaczenia rzeczy

Słownictwo moda, fryzury i usługi fryzjerskie, kosmetyki i higiena osobista, przedmioty codziennego użytku; wyrażenia: *z papieru, z metalu, z drewna* Powtórzenie: wygląd, ubiory

Idiomy: *wyglądać jak strach na wróble, brzydki jak noc*

Gramatyka i składnia użycie dopełniacza po przyimkach *do*, *dla, z* przy określaniu przeznaczenia i budowy rzeczy

Powtórzenie: przysłówki i przymiotniki

Część egzaminacyjna Część A. Rozumienie ze słuchu

Moda i uroda

1a Proszę zapytać kolegę / koleżankę.

- W co jest dzisiaj ubrany? Czy to jest jego / jej ulubione ubranie, styl?
- Jaki styl i jakie ubrania są teraz modne?
- Co to znaczy „być trendy"?

1b Proszę obejrzeć zdjęcia i zapytać kolegę / koleżankę.

- Które ubranie przedstawione na zdjęciu podoba się mu / jej najbardziej? Dlaczego?
- Które ubranie nie podoba się mu / jej? Dlaczego?

1c Proszę razem z kolegą / koleżanką wybrać jedno zdjęcie i przygotować informacje na temat przedstawionej na nim osoby.

1. Jak wygląda ta osoba (wzrost, kolor oczu, włosów, tusza)?

Zdjęcie przedstawia niskiego bruneta w średnim wieku, który ma niebieskie oczy i ciemne, krótkie włosy. Jest dość szczupły. Wygląda elegancko.

2. W co jest ubrany / ubrana?

Ma na sobie elegancki, czarny garnitur, niebieską koszulę, ciemny krawat i czarne buty. Na głowie ma kapelusz, a w ręce parasol.

3. Czy ta osoba jest modna? Proszę uzasadnić odpowiedź.

1d Proszę opisać jedną osobę z grupy, zaczynając od najmniej wyróżniających ją cech. Proszę nie mówić, kto to jest. Grupa musi zgadnąć, kogo Pan opisał / Pani opisała.

2a Stefan idzie do fryzjera. Proszę wysłuchać nagrania i uzupełnić brakujące fragmenty tekstu słowami podanymi w ramce. Nagranie zostanie odtworzone jeden raz.

> przodu   fotel   strzyżenie   obciąć

Fryzjer: Dzień dobry. Słucham pana.

Stefan: Dzień dobry. Czy długo trzeba czekać
na ....?

F.: Około piętnastu minut. Poczeka pan?

S.: Tak, dziękuję.

F.: Proszę usiąść. Tu są katalogi i czasopisma, jeśli pan
chciałby przejrzeć.

S.: Dziękuję.

(*po piętnastu minutach*)

F.: Zapraszam na .... Co robimy?

S.: Nie jestem zdecydowany, ale myślę, że najlepiej
.... na krótko, dużo krócej po bokach
i z .... Tak jak na tym zdjęciu.

F.: Dobrze, zapraszam do mycia.

Słownictwo

2b Proszę wpisać brakujące informacje pod rysunkami.

> długie   jasne
> √łysy   krótkie
> √z grzywką
> proste   ciemne
> √kręcone
> farbowane

.... / .... włosy

.... / ...*kręcone*.... włosy

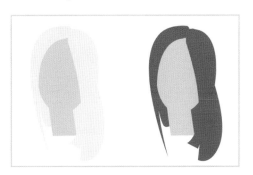

.... włosy

.... / .... włosy

.*z grzywką*.

........*łysy*........

 2c Proszę zamknąć oczy, a następnie powiedzieć, jaką fryzurę ma kolega siedzący / koleżanka siedząca obok
Pana / Pani.

29

2d Proszę przeczytać poniższą reklamę salonu fryzjerskiego, a następnie z kolegą / koleżanką przygotować dialog – *W salonie fryzjerskim AFR*. Przygotowany dialog proszę zaprezentować na forum grupy.

Salon Fryzjerski

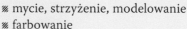

PROFESJONALNIE :: MODNIE :: SZYBKO

AFR

ul. Warszawska 24
tel. 0-12 789-25-03

Kobiety:	włosy krótkie	włosy półdługie	włosy długie
✄ mycie, strzyżenie, modelowanie	35 zł	60 zł	80 zł
✄ farbowanie	20 zł	45 zł	63 zł
✄ balayage	33 zł	50 zł	70 zł
✄ przedłużanie włosów	od 70 zł	od 70 zł	

Mężczyźni:	
✄ mycie, strzyżenie, modelowanie	37 zł
✄ farbowanie lub balayage	55 zł

Oferujemy:
✄ sprzedaż kosmetyków do pielęgnacji włosów
✄ komputerowy dobór fryzur
✄ profesjonalny masaż skóry głowy

ZNIŻKI dla STUDENTÓW!

Z kartą stałego klienta rabat 20%

3a Czy wie Pan / Pani, jak powiedzieć komplement i jak na niego zareagować? Proszę połączyć wyrażenia z lewej kolumny z wyrażeniami z prawej.

Komplementowanie

1. Jaki piękny	a) zupa!
2. Znakomita	b) dzisiaj wygląda!
3. Świetnie pan / pani	c) mieszkanie!
4. Co za	d) sweter!

(linia łącząca: 1. Jaki piękny — d) sweter!)

Reakcja na komplement

1. Dziękuję	a) za komplement!
2. Miło	b) że się panu / pani podoba!
3. Jesteś	c) bardzo miły / miła!
4. Cieszę się,	d) ci się? Naprawdę?
5. Podoba	e) mi to słyszeć!

3b Jak Pan / Pani zareaguje w tej sytuacji? Proszę uzupełnić poniższe dialogi.

a)
– Bardzo dobrze mówisz po polsku!
....

b)
– Fantastyczne spodnie!
....

c)
– Ma pan świetną fryzurę!
....

3c Proszę wstać i chodzić po klasie, mówiąc każdemu komplement i odpowiadając na komplementy skierowane do Pana / Pani.

 3d Czy jest Pan / Pani dobrym obserwatorem? Proszę napisać krótką notatkę – informację na temat wyglądu jednej osoby z grupy (wygląd ogólny, fryzura, ubiór), używając 150–200 słów. Uwaga – podczas pisania proszę nie patrzeć na tę osobę.

● Gramatyka

4a W podanym tekście proszę podkreślić poprawne formy.

Benka i Pinia bardzo (częsty / <u>często</u>) chodzą do fryzjera. Gdyby mogły, chodziłyby (codzienny / codziennie). Obie mają (długie / długo) włosy: Benka (proste / prosto), a Pinia (kręcone / kręcenie). I (oczywisty / oczywiście) Benka lubi kręcić włosy, a Pinia prostować. Obie też ubierają się bardzo (modne / modnie). Odwiedzają wszystkie (drogie / drogo) sklepy (odzieżowe / odzieżowo). Po (dużych / dużo) zakupach spacerują po (miejskim / miejsko) parku, aby pokazać (nowe / nowo) ubrania. Tylko gdy jest (gorący / gorąco), ich właściciele pozwalają im chodzić bez ubrań. I tylko wtedy Benka i Pinia w końcu czują się jak zwykłe psy.

4b* W podanym tekście proszę podkreślić poprawne formy.

(Luksusowo / <u>Luksusowe</u>) samochody – Ferrari, Porsche, Bentley, mimo że (cało / całe) są produktem techniki, próbują dawać iluzję naturalności. (Najdrożej / Najdroższe) samochody mają elementy drewniane i skórzane. Karoseria robiona jest (ręcznie / ręczna). Takie samochody nie są produkowane (masowo / masowy). Samochód często widywany na ulicach nie jest już tak (atrakcyjnie, atrakcyjny). Elementy takie jak telewizor, komputer czy GPS są już (standardowo / standardowe).

W tym biznesie (ważnie, ważna) jest także dyskrecja. Przykład? Właściciel (modnie / modnej) restauracji w Nowym Jorku Sirio Maccioni jeździ („zwykle" / „zwykłą") lancią. Pod karoserią lancii jest silnik Ferrari.

„Przekrój" 2003, nr 51–52

4c Proszę odpowiedzieć na poniższe pytania, używając form przymiotników lub przysłówków.

– Jak się Pan / Pani dzisiaj czuje?
– Jaka dziś jest pogoda?
– Jak Pan / Pani jeździ samochodem?
– Jak Pan / Pani mówi po polsku?
– Jak się Panu / Pani podoba współczesna moda?
– Jak jest Pan / Pani dziś ubrany / ubrana?

Idiomy

5 Proszę przeczytać poniższe scenki, a następnie wyjaśnić znaczenie zaznaczonych wyrażeń:

A.

– Pani Kowalska, widziała pani wczoraj Nowakowską?
– Nie, a co się stało?
– Chyba kupiła sobie nowe futro. Mówię pani, wyglądała jak strach na wróble: futro brązowe, kapelusz żółty, a do tego fioletowa spódnica. I wszystko o dwa numery za duże.
– Przepraszam panią, ale nie mam czasu. Spieszę się do pracy.

B.

– Podoba ci się ten dom?
– Nie! Jest brzydki jak noc.
– Jest na sprzedaż. Moglibyśmy go bardzo tanio kupić.
– Słucham?!

• *wyglądać jak strach na wróble*
• *brzydki jak noc*

6a **Proszę porozmawiać w grupie.**

- Czy zgadzają się Państwo z opinią, że aby dobrze się ubrać, trzeba mieć dużo pieniędzy?
  – *Tak, zgadzam się, bo...*
  – *Nie zgadzam się, ponieważ...*

- Co sądzą Państwo o tym, że ludzie oceniają innych po tym, jak są ubrani?
  – *Uważam, że...*
  – *Sądzę, że...*
  – *Według mnie...*
  – *Moim zdaniem...*

- Jakie sporty Państwo uprawiają? Czy do uprawiania sportu potrzebne jest specjalne ubranie sportowe?

  6b **Po przeczytaniu tekstu zamieszczonego poniżej proszę zaznaczyć poprawną odpowiedź.**

Fitnessowa moda

0 Do klubu fitness nie można przyjść w zwykłym T-shircie i tenisówkach. Trzeba się trzymać zasad fitnessowej mody, która zmienia się co sezon.

1 Tam można się najszybciej zorientować, w czym wypada się pokazać, a z czego zrezygnować. Ubranie powinno być elastyczne, przepuszczające powietrze, a buty z systemem amortyzacji. Stroje do fitnessu muszą też przylegać do ciała i wytrzymać częste pranie.

2 – Na zajęciach obserwuję dwie tendencje. Panie ubierają luźne, długie spodnie z kieszeniami albo spodnie dopasowane na biodrach z prostymi nogawkami – mówi Urszula Leiss ze Studia Leiss Fitness w Sosnowcu. Dodaje, że najchętniej wybierane są spodnie czarne, bo optycznie wyszczuplają. Topy bywają kolorowe, podobne do bielizny albo do koszulek na ramiączkach i z rękawami.

3 – Fasony topów są coraz bardziej kobiece, z dekoltami, ażurowymi plecami – mówi Leiss. Najważniejsza jest jednak kolorystyka, która w tym sezonie zaczyna być bardzo urozmaicona. Pojawiają się m.in. topy czerwone, turkusowe i seledynowe.

4 Stroje do fitnessu produkuje kilka firm. Te markowe są dosyć drogie, bez problemu znajdziemy je w sklepach. Tańsze koszulki i spodnie polskich firm (m.in. Teta, Adict czy Anniluce) na razie można zamawiać głównie w fitness klubach, wybierając interesujący nas model z katalogu.

5 Elementem stroju, na którym nie można oszczędzać, są buty. Buty do fitnessu powinny mieć wbudowany system amortyzacji (np. adi prene+ Adidasa albo air Nike). Kupując takie obuwie, unikniemy kontuzji. W tym sezonie najlepiej zrobimy, wybierając buty w kolorze czarnym – pasują do wszystkiego, jest też szansa, że w przyszłym roku nadal będą modne...

Ile wydasz:

koszulki polskich firm – od 50 zł

spodnie polskich firm – od 70 zł

długie spodnie (Adidas) – 199 zł

krótkie, elastyczne spodenki – (Adidas) – 89 – 109 zł

top (Adidas) – 109 – 139 zł

buty (Adidas) – 269 zł

top (Nike) – 129 – 159 zł

spodnie (Nike) – 219 zł

buty (Nike) – 199 – 399 zł (Air Blise z nowej kolekcji)

„Gazeta Wyborcza Katowice" 2002, nr 99

0. Fragment 0 informuje, że
   a) w klubach fitness nie trzeba mieć specjalnych ubrań.
   b) w klubach fitness obowiązuje specjalna moda.
   c) w klubach fitness moda się nie zmienia.

1. Fragment 1 informuje, że
   a) ubrania do ćwiczeń muszą być specjalnie zaprojektowane.
   b) buty powinny być nowe.
   c) ubrania mogą być delikatne.

2. Fragment 2 informuje, że
   a) jest wiele różnych tendencji.
   b) topy są zwykle jednokolorowe.
   c) kobiety lubią czarne spodnie, bo wyglądają w nich lepiej.

3. Fragment 3 informuje, że
   a) kobiety wolą podkoszulki niż topy.
   b) modne są topy kolorowe i bardzo kobiece.
   c) kolory topów nie mają znaczenia.

4. Fragment 4 informuje, że
   a) polskie stroje do fitnessu są tańsze niż zagraniczne.
   b) polskie stroje do fitnessu są droższe niż zagraniczne.
   c) nie można kupić strojów w sklepie.

5. Fragment 5 informuje, że
   a) w następnym sezonie na pewno będą modne czarne buty.
   b) najlepiej kupić tanie buty.
   c) najlepiej kupić dobre, markowe buty w kolorze czarnym.

Słownictwo

7a Proszę uzupełnić listę kosmetyków, używając słów z ramki.

> *tusz   krem   pasta   szampon*
> *balsam   papier   szminka*

a) .... do zębów

b) .... do włosów

c) .... do twarzy, do rąk, do stóp

d) .... do rzęs

e) .... toaletowy

f) .... do ust

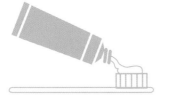

7b Proszę w grupach zdecydować, które z produktów z ćwiczenia 7a mogą stosować i kobiety, i mężczyźni? Bez których nie mogliby Państwo żyć, a które nie są potrzebne?

OKREŚLANIE CELU, PRZEZNACZENIA

– **Do czego** to jest?
– To jest pasta **do zębów**.

– Muszę kupić coś **do jedzenia**.

– **Po co** to robisz?
– **Żeby** lepiej mówić po polsku.

– **Dla kogo** jest ten prezent?
– To jest prezent dla **ciebie / pana / pani / państwa**.

7c Proszę zapytać kolegę / koleżankę.

– Po co uczy się polskiego?
– Po co używa kosmetyków?
– Po co ogląda telewizję i czyta książki?
– Dla kogo kupuje prezenty?

7d Proszę szybko przeczytać poniższy tekst, a następnie dopasować tytuły do paragrafów. Uwaga – jeden tytuł do niczego nie pasuje.

Eksce

Preparat powiększający biust, męska szminka i puder, perfumy dla psa i kota. Oto najdziwniejsze kosmetyki ostatniego roku

A Top Model – Methode Jeanne Piaubert. 2 preparaty do modelowania sylwetki – jeden wyszczupla ciało, a drugi powiększa biust.
5 Podobno efekty można zaobserwować już po 4 tygodniach. 200 i 100 ml – 611 zł.

B Tout Beau, Tout Propre Jean Paul Gaultier – to seria kosmetyków dla mężczyzn. My-
10 dło, dezodorant, balsam po goleniu to nic nowego, ale krem do twarzy czy puder to kompletna nowość. W Polsce nie ma (w innych krajach są) szminki
15 do ust, korektora i innych kosmetyków do makijażu. Jednak puder i krem bardzo szybko zostały wykupione z polskich sklepów, więc może wkrótce będzie można kupić pozostałe kosmetyki.
20 Ceny: 82 – 168 zł.

C Kanebo Sensai Ex to ekskluzywny krem reklamowany jako eliksir młodości.
40 ml – 1980 zł.

tryki

Oh My Dog! i Oh My Cat! to
25 pierwsze perfumy dla psów
i kotów sprzedawane w ekskluzywnych perfumeriach na świecie.
Woda toaletowa Oh My Dog! jest dla
psa. Jest bardzo świeża, z akcentami
30 kwiatowymi – pachnie drzewem róża-
nym, cytrusami, frezją i wanilią. Woda
dla kota to także kompozycja cytrusów
i drzewa różanego, ale zdecydowanie
więcej w niej kwiatów. 50 ml – 99 zł.

35 Od niedawna w gabinetach
kosmetycznych można deko-
rować zęby najmodniejszymi
kryształkami świata. Kryształki firmy
Swarovski zamawiają najwięksi kreato-
40 rzy mody do ozdabiania swoich kolekcji. 1 ząb – 59 zł.

1. Najdroższy krem świata

2. Z pupy na biust

3. Szminka dla mężczyzny

4. Kryształowy ząb

5. Perfumy dla psa i kota

6. Lodowa dieta

8a Proszę zdefiniować, kto to jest snob?

8b Proszę z listy wybrać rzeczy, które uważa
Pan / Pani za snobistyczne i uzasadnić swój
wybór.
Proszę dodać do poniższej listy 5 innych,
Pana / Pani zdaniem, snobistycznych rzeczy.

a) komplet ekskluzywnych mebli z drewna, importowa-
nych z Tajlandii na indywidualne zamówienie

b) miniwalkman

c) zegarek z plastiku z brylantami

d) cyfrowy aparat fotograficzny

e) 4 samochody marki jaguar

f) ....

g) ....

h) ....

i) ....

j) ....

lekcja

3

Słownictwo

8c Z czego zrobione są przedmioty wymienione
w ćwiczeniu 8b? Proszę je pogrupować. Do spo-
rządzonej listy proszę dopisać także przedmioty,
które znajdują się w klasie.

z drewna

z metalu

z plastiku

Część A. Rozumienie ze słuchu

CD 13 **I** **Wypowiedzi pojedyncze. Proszę uważnie słuchać i zaznaczać właściwe odpowiedzi. Nagranie będzie odtworzone tylko jeden raz.**

0. Ta wypowiedź jest możliwa:
   a) w taksówce,
   b) w sklepie,
   c) w muzeum.

1. Ta wypowiedź to:
   a) pochwała,
   b) krytyka,
   c) prośba.

2. Ta wypowiedź to:
   a) propozycja,
   b) pytanie,
   c) prośba.

3. Ta wypowiedź jest możliwa:
   a) w parku,
   b) w tramwaju,
   c) w sklepie.

4. Ta wypowiedź jest możliwa:
   a) w biurze,
   b) w parku,
   c) u fryzjera.

5. Ta wypowiedź jest możliwa:
   a) w tramwaju,
   b) na dworcu,
   c) na lotnisku.

6. Ta wypowiedź jest możliwa:
   a) w szkole,
   b) u lekarza,
   c) u fryzjera.

7. Ta wypowiedź to:
   a) pytanie o miejsce,
   b) pytanie o drogę,
   c) pytanie o czas.

8. Ta wypowiedź jest możliwa:
   a) w pociągu,
   b) w sklepie,
   c) przy stole w restauracji.

9. Ta wypowiedź to:
   a) propozycja,
   b) pytanie,
   c) informacja.

10. Ta wypowiedź jest możliwa:
    a) w biurze,
    b) u lekarza,
    c) w pubie.

11. Ta wypowiedź znaczy:
    a) nie wiem dokładnie,
    b) wiem,
    c) zapomniałem.

12. Ta wypowiedź jest możliwa:
    a) w banku,
    b) w kinie,
    c) w kiosku.

13. Ta wypowiedź to:
    a) pożegnanie,
    b) powitanie,
    c) propozycja.

14. Ta wypowiedź znaczy:
    a) Tak!
    b) Nie!
    c) To niemożliwe!

15. Ta wypowiedź jest możliwa:
    a) w sklepie,
    b) na pożegnanie,
    c) na powitanie.

16. Ta wypowiedź to:
    a) rada,
    b) prośba,
    c) propozycja.

17. Ta wypowiedź to:
    a) krytyka,
    b) polecenie,
    c) protest.

18. Ta wypowiedź jest możliwa:
    a) w barze,
    b) podczas egzaminu,
    c) w księgarni.

19. Ta wypowiedź oznacza:
    a) krytykę,
    b) dystans,
    c) pochwałę.

20. Ta wypowiedź jest możliwa:
    a) w parku,
    b) na parkingu,
    c) w hipermarkecie.

CD 14 **II** **Proszę wysłuchać tego tekstu i odpowiedzieć na pytania. Nagranie zostanie odtworzone dwukrotnie.**

0. Ile ważą kobiety na tej planecie?
   .50 kg...

1. Jak nazywa się ta planeta?
   ....

2. Jacy ludzie mieszkają na tej planecie?
   ....

3. Na kogo snobują się Francuzi?
   ....

4. Kto chciałby mieć ekscentryczność Anglików?
   ....

5. Jaki kontynent atakuje?
   ....

6. Dokąd jadą projektanci z Chin, Korei i Tajwanu?
   ....

CD 15 **III** Proszę wysłuchać tej informacji i uzupełnić brakujące fragmenty tekstu. Nagranie zostanie odtworzone dwukrotnie.

Kowalski Automobil projektuje ...*urządzenia kuchenne*....[0] .

Znana polska firma motoryzacyjna przedstawiła ....[1] swój najnowszy produkt – toster. To pierwsza ....[2] serii w stylu retro. Toster wygląda jak miniatura samochodu, zrobiony jest głównie z ....[3] i utrzymany w tonacji srebrno-..................[4] . Wszystkie elementy są ....[5] ręcznie. Tostery i inne ....[6] z serii będą wykonywane tylko na indywidualne zamówienia. Firma wyprodukuje w tym roku ....[7] sztuk tosterów.

Za jeden trzeba będzie zapłacić ....[8] złotych. Za rok będzie można kupić także mikser, ekspres do kawy, a nawet ....[9] .

CD 16 **IV** Proszę wysłuchać nagrania i zaznaczyć, czy poniższe zdania są prawdziwe (P) czy nieprawdziwe (N). Nagranie zostanie odtworzone dwukrotnie.

0. Pani Genowefa opowiada o swoich psach.		P / (N)
1. Pierwszy zegarek dostała, gdy miała siedem lat.		P / N
2. Zegarek wyglądał jak pomarańcza.		P / N
3. Wszystkie dzieci też miały takie zegarki.		P / N
4. Pani Genowefa pierwszy zegarek kupiła za swoje pieniądze.		P / N
5. Jej ciotka była właścicielką sklepu z ubraniami.		P / N
6. Ten zegarek był tani.		P / N
7. Zegarek był nowy.		P / N
8. Ten zegarek już nie chodzi.		P / N
9. Pani Genowefa umie naprawiać zegarki.		P / N
10. Pani Genowefa ma około 2500 zegarków.		P / N

CD 17 **V** Proszę uważnie wysłuchać tego nagrania i odpowiedzieć na dwa pytania. Nagranie zostanie odtworzone dwukrotnie.

1. Jaką opinię na temat trendów ma projektant Bruno Peterka?

....

....

....

....

....

....

2. Co jest ważne w modzie?

....

....

....

....

....

....

przygotowanie do egzaminu

lekcja

4

Sytuacje komunikacyjne wyrażanie zadowolenia i niezadowolenia, wyrażanie rozczarowania

Słownictwo warunki pracy, płace i zarobki, warunki życia

Gramatyka i składnia składnia liczebników

Część egzaminacyjna Część E. Mówienie

Jak żyjemy?

1a Proszę zapytać kolegę / koleżankę:

- Jaka jest średnia płaca w jego / jej kraju / w regionie, w którym mieszka?
- Ile miesięcznie wydaje na jedzenie?

- Ile płaci za mieszkanie?
- Czy jest ubezpieczony / ubezpieczona?

2a Proszę przeczytać fragmenty tekstu *Przewodnik po zmianach w kodeksie pracy* i dopasować odpowiedni tytuł do każdego paragrafu:

- [ ] a) Czas pracy
- [ ] b) Dyskryminacja i mobbing
- [ ] c) Dane osobowe
- [ ] d) Urlopy
- [ ] e) Co się zmieniło 1 maja po wejściu Polski do Unii Europejskiej?

1. Już po pierwszym miesiącu pracy pracownik ma prawo do urlopu. (...) Minimalny roczny urlop wzrasta z 18 do 20 dni.

2. Uwaga! Istotna nowość: jeśli w tygodniu kumulują się
5 dwa dni świąteczne (poza niedzielą), to automatycznie zmniejsza się liczba dni wolnych o jeden dzień. (...)
Dla tych, którzy lubią pracować krótko, ale intensywnie. Pracownik może poprosić pracodawcę (na piśmie) o skrócenie tygodnia pracy – pracuje wtedy mniej niż
10 pięć dni w tygodniu, ale dłużej...

3. Jakich informacji pracodawca może żądać od kandydata do pracy? Są to: imiona, nazwisko, imiona rodziców, data urodzenia, adres zamieszkania, PESEL, wykształcenie ... . (...) Pracodawca nie może pytać kobiet
15 o plany macierzyńskie.

4. (...) Do tej pory kodeks zakazywał nierównego traktowania ze względu na płeć, wiek, niepełnosprawność, rasę, narodowość, przekonania („zwłaszcza polityczne lub religijne") oraz przynależność związkową. Teraz do
20 tego zestawu dochodzi religia (już nie „przekonania religijne"), pochodzenie etniczne, orientacja seksualna oraz rodzaj zatrudnienia (...)
Pracodawca musi też przeciwdziałać mobbingowi.

5. Weszły w życie przepisy o warunkach zatrudnienia
25 pracowników z państw Unii Europejskiej, skierowanych do pracy w Polsce. Muszą one być nie gorsze niż wynika to z naszego kodeksu pracy.

„Gazeta Wyborcza" 2004, nr 3
„Praca" 2004, nr 1

2b Kto będzie najbardziej zadowolony z przedsta wionych zmian? Dlaczego?

a) ambitny student, który ma dość dużo czasu, ale studiuje zaocznie (od piątku do niedzieli)

b) młoda, niepełnosprawna kobieta

c) starszy, bezrobotny mężczyzna, pięć lat przed emeryturą

d) stypendysta z Wietnamu szukający pracy w Polsce

e) członek związku zawodowego „Solidarność"

Słownictwo

2c Czy podane wyrazy to synonimy?

a) *pracodawca – pracownik*

b) *żądać – pytać*

c) *plany macierzyńskie – plany dotyczące urodzenia dzieci*

d) *zakazywać – pozwalać*

Proszę ułożyć zdania z tymi wyrażeniami.

2d Proszę opisać osobę niezadowoloną ze zmian zaprezentowanych w ćwiczeniu 2a.

....

....

....

....

....

....

....

WYRAŻANIE ZADOWOLENIA I NIEZADOWOLENIA

– Jestem zadowolony / zadowolona z tej decyzji.

– Jestem niezadowolony / niezadowolona ze zmian w kodeksie pracy.

– Cieszę się, że dobrze ci poszło.

– Udało mi się dostać pracę.

– To wspaniała wiadomość!

WYRAŻANIE ROZCZAROWANIA

– Szkoda, jaka szkoda!

– O nie!

– Naprawdę? Coś podobnego!

– Ładna historia.

– Jestem rozczarowany tą decyzją.

– To okropne!

3 Proszę zareagować w następujących sytuacjach:

a) Pana / Pani sąsiad jest od dwóch lat bezrobotny i nie ma z czego żyć.

b) Pana / Pani szef bardzo często mówi, że kobiety powinny siedzieć w domu i zajmować się dziećmi.

c) Ma Pan / Pani nową pracę. Szef powiedział, że może Pan / Pani pracować, kiedy chce. Praca musi być jednak zrobiona na czas.

d) Szuka Pan / Pani mieszkania. Kolega znalazł jedno, bardzo interesujące, ale on sam nie może pozwolić sobie na taką cenę. Proponuje Panu / Pani wspólne mieszkanie.

e) Dwaj koledzy z pracy prowadzą małą firmę. Modernizują produkcję i potrzebują osób lepiej wykwalifikowanych. Proponują Panu / Pani dobrze płatną pracę.

4a Proszę posłuchać wystąpienia szefa pewnego związku zawodowego nauczycieli i określić, czy:

CD 18

a) prowadzi negocjacje?

b) organizuje strajk?

c) przedstawia żądania pracowników?

4b Proszę wysłuchać jeszcze raz tekstu i uzupełnić tabelę:

CD 18

Jaki jest realny czas pracy nauczycieli	Jakie są ich żądania
• 18 godzin	• żądają ....
	i zapłaty za ....
• dwie godziny dziennie	• chcą dotacji na ....
• jedna sobota w miesiącu	i pieniędzy na ....
• dwa razy w roku	• chcą polepszenia ....
• jeden raz w roku	

SKŁADNIA LICZEBNIKÓW

liczba pojedyncza	rodzaj męski osobowy	rodzaj męski nieosobowy	rodzaj nijaki	rodzaj żeński
	jeden student	**jeden** pies **jeden** dzień	**jedno** dziecko **jedno** mieszkanie	**jedna** studentka **jedna** książka

liczba mnoga	rodzaj męskoosobowy	rodzaj niemęskoosobowy	
	dwaj studenci **dwóch** studentów	**dwa** psy, dni, mieszkania **dwoje** dzieci	**dwie** studentki, książki
	trzej, czterej studenci **trzech, czterech** studentów	**trzy, cztery** psy, dni, mieszkania, studentki, książki **troje, czworo** dzieci	

Liczebniki główne 5≥ występujące przed **rzeczownikami męskoosobowymi** mają formę:
pięci**u**, sześci**u**, siedmi**u**...

Liczebniki główne 5≥ występujące przed rzeczownikami **niemęskoosobowymi**
mają niezmienioną formę:
pięć, sześć, siedem...

Po liczebnikach głównych 5≥ wszystkie rzeczowniki występują zawsze w dopełniaczu l. mnogiej:
pięciu, sześciu, siedmiu studentów
pięć, sześć siedem kobiet / książek / psów / dzieci

Po liczebnikach zbiorowych rzeczowniki występują zawsze w dopełniaczu l. mnogiej:
dwoje, troje, czworo, pięcioro, sześcioro, siedmioro, ośmioro, dziewięcioro, dziesięcioro dzieci

5a Proszę przekształcić zdania według wzoru:

0. Dwaj mężczyźni czekają w kolejce.
....Dwóch mężczyzn czeka w kolejce....

1. Dwaj studenci odbierają stypendium.
....

2. Trzej dyrektorzy spotykają się w sprawie strajku.
....

3. Czterej przedstawiciele związków negocjują warunki.
....

4. Dwaj pracownicy przedstawiają żądania reszty.
....

5b A teraz proszę przekształcić te same zdania, używając czasowników w czasie przeszłym według podanego wzoru.

0. Dwaj mężczyźni czekają w kolejce.
Dwóch mężczyzn czeka w kolejce
....Dwóch mężczyzn czekało w kolejce....

1. ....

2. ....

3. ....

4. ....

6 Proszę użyć właściwej formy liczebnika:

1. Maria, *....czterdzieści.....* (40) lat, mąż, *....dwoje.....* (2) dzieci:

Moje życie jest bardzo trudne. Dzieci są coraz większe, coraz więcej musimy na nie wydawać. Nie udaje nam się nic zaoszczędzić. .... (2) pensje nie wystarczają na życie. Moja siostra ma .... (3) dzieci i małą rentę. Mąż nie pracuje. Jest im bardzo ciężko.

2. Jan, ... (53) lata, żona, ... (3) dzieci:

Zawsze chciałem mieć dużą rodzinę. Planujemy z żoną jeszcze .... (3) albo .... (4). Najlepiej byłoby, gdyby urodziły się jeszcze .... (2) córki i .... (2) synowie. Jestem szczęśliwy, że mamy dużą rodzinę!

3. Ewa, ... (33) lata, rozwiedziona:

Miałam .... (3) mężów. .... (2) byli w moim wieku, a .... (1) był dużo starszy. Teraz jestem sama, ale nie czuję się samotna. Jestem zadowolona! Mam .... (2) psy i .... (1) papugę.

---

7 Proszę przeanalizować wyniki sondy dotyczącej sytuacji rodzinnej Polek. Proszę przygotować krótki opis tej sytuacji.

1. Ile dzieci chciałaby Pani mieć?

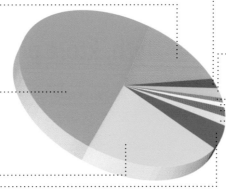

żadnego dziecka 2%
jedno dziecko 13%
dwoje dzieci 49%
troje dzieci 22%
czworo dzieci 6%

2% pięcioro dzieci
1% sześcioro dzieci
1% siedmioro i więcej dzieci
2% tyle, ile się zdarzy
2% trudno powiedzieć

2. Którą sytuację uważa Pani za najlepszą dla rodziny?

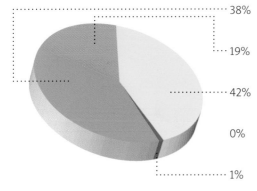

38% Mąż i żona tyle samo czasu przeznaczają na pracę zawodową, w równym stopniu zajmują się domem i dziećmi.

19% I mąż, i żona pracują, jednak mąż poświęca więcej czasu na pracę zawodową, a żona poza pracą zajmuje się dziećmi.

42% Jedynie mąż pracuje, zarabiając wystarczająco na utrzymanie rodziny, a żona zajmuje się domem.

0% Jedynie żona pracuje, zarabiając wystarczająco na utrzymanie rodziny, a mąż zajmuje się domem.

1% Trudno powiedzieć.

3. Z jakich przyczyn pracuje Pani zawodowo? (przyczyna wskazana na pierwszym miejscu)

64,3% przymus ekonomiczny
15% chęć zachowania niezależności finansowej
14,3% możliwość rozwoju i samorealizacji
6,4% potrzeba kontaktów międzyludzkich

Statystyczna Polka chce mieć dzieci. Najlepiej dwoje albo troje. Dwa procent deklaruje, że nie chce żadnego. ....

....

....

8a Proszę wysłuchać sondy ulicznej i odpowiedzieć na pytania:

CD
19-20

a) Który z respondentów ma własne mieszkanie?

b) Który z respondentów posiada własny dom?

c) Kto z dwojga odpowiadających ma w domu zmywarkę do naczyń?

d) Który z respondentów kupuje książki? Kto ma zbiór książek powyżej 50 sztuk?

e) Czego nie ma w domu, zdaniem respondentów, typowa polska rodzina?

f) Czy zaprezentowane osoby są zadowolone ze swojej sytuacji materialnej?

  8b Proszę porównać wypowiedzi respondentów z danymi statystycznymi podanymi poniżej.

CD
19-20

Odsetek gospodarstw domowych, które posiadają:

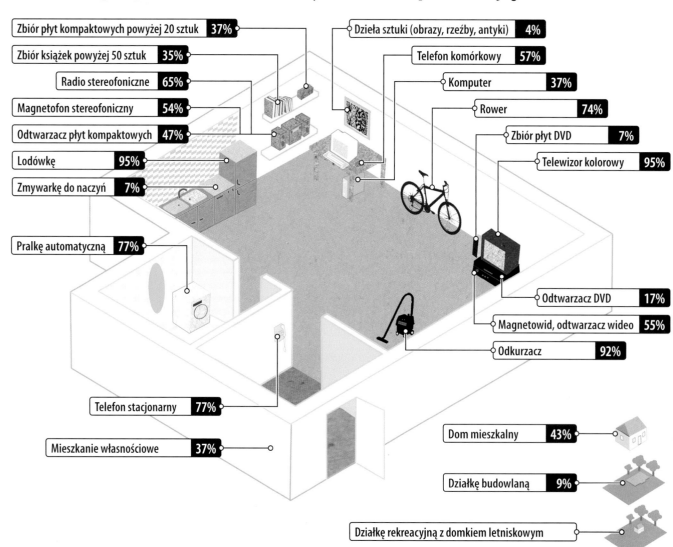

Zbiór płyt kompaktowych powyżej 20 sztuk **37%**
Zbiór książek powyżej 50 sztuk **35%**
Radio stereofoniczne **65%**
Magnetofon stereofoniczny **54%**
Odtwarzacz płyt kompaktowych **47%**
Lodówkę **95%**
Zmywarkę do naczyń **7%**
Pralkę automatyczną **77%**
Telefon stacjonarny **77%**
Mieszkanie własnościowe **37%**

Dzieła sztuki (obrazy, rzeźby, antyki) **4%**
Telefon komórkowy **57%**
Komputer **37%**
Rower **74%**
Zbiór płyt DVD **7%**
Telewizor kolorowy **95%**
Odtwarzacz DVD **17%**
Magnetowid, odtwarzacz wideo **55%**
Odkurzacz **92%**
Dom mieszkalny **43%**
Działkę budowlaną **9%**
Działkę rekreacyjną z domkiem letniskowym

Badania CBOS, marzec 2004

Część E. Mówienie

I Proszę opisać fotografię i przedstawioną na niej sytuację. Proszę użyć następujących zwrotów:

- *Fotografia przedstawia...*
- *Na zdjęciu widzimy...*
- *Na pierwszym planie...*
- *W głębi...*
- *Po prawej stronie...*
- *Po lewej stronie...*
- *Można przypuszczać, że...*
- *Prawdopodobnie...*
- *Myślę, że...*

II Proszę się przedstawić. Czy jest Pan żonaty / Pani mężatką, czy ma Pan / Pani dzieci? Pracuje Pan / Pani czy studiuje? Gdzie Pan / Pani mieszka?

III Statystyki mówią, że przeciętny Polak nie jest zadowolony z obecnej sytuacji w naszym kraju. Wiele osób tęskni za czasami komunizmu. Jak Pan / Pani myśli, dlaczego? Proszę przedstawić swoją opinię na ten temat. (monolog)

przygotowanie do egzaminu

lekcja

5

Sytuacje komunikacyjne zachęcanie, przekonywanie, wyrażanie upodobania

Słownictwo kuchnia, przepisy, diety Idiomy: *niebo w gębie, zjeść konia z kopytami, palce lizać, obejść się smakiem*

Gramatyka i składnia Powtórzenie: dopełniacz po wyrażeniach ilościowych, tryb rozkazujący w zdaniach przeczących

Część egzaminacyjna Część E. Mówienie

Polska od kuchni

1a Poniższe rysunki zostały wymieszane. Proszę je uporządkować, a następnie opowiedzieć, co wydarzyło się w domu Oli i Jarka. Proszę zatytułować tę historię.

Słownictwo

1b Proszę poszukać na rysunkach poniższych przedmiotów.

1. widelec
2. pałeczki
3. filiżanka
4. kieliszek
5. słoik
6. ścierka
7. łyżka
8. łyżeczka do herbaty
9. szklanka
10. talerzyk deserowy
11. garnek
12. deska do krojenia
13. nóż
14. talerz
15. kubek
16. patelnia
17. suszarka do naczyń
18. otwieracz do konserw

44

1c Proszę wysłuchać rozmowy Oli i Jarka i porównać z Państwa wersją wydarzeń. Proszę uzupełnić brakujące słowa.

– Włożyłeś makaron do ....?
– Tak. Jak długo ma się gotować?
– Około 10 minut.
– W takim razie zrobię sos. Mamy pomidory?
– Świeżych nie mamy. Ale pomidory z .... też są dobre!
– Jak chcesz. I jeszcze pesto. Podasz mi ....?
– Hmm, ale ładnie pachnie... ale pesto nie miesza się z pomidorami... Wiesz co, ja zrobię ten sos. Może nakryjesz do stołu?
– Dobrze.
– Poczekaj! Weź ścierkę, trzeba posprzątać na stole!

– No i jak ci się podoba? Każde nakrycie składa się z talerza, ... z lewej strony, noża i .... z prawej, łyżeczki deserowej, ..., szklanki i ....! A tutaj są serwetki.
– Ale po co łyżki i noże? Przecież spaghetti je się ....! A talerzyk .... po co?

– Do deseru!
– Ale mamy lody! Hmm... A po co szklanki i kubki?
– Do herbaty i kawy.
– Ale my nie będziemy pić herbaty, tylko wino! A kawę będziemy pić w ....!
– No tak... Czujesz? Coś dziwnie ....! To chyba dym!
– Sos!!!!

– Cześć! A co tu tak dziwnie pachnie???
– Nasza kolacja... Chyba będziemy musieli zamówić pizzę.
– O nie, tym razem pójdziemy do .... knajpy.
– Nie, nie...
– Żadne nie, żadne ale, musicie spróbować, to .... jedzenie!
– Ale w chińskiej knajpie je się ....!
– No więc wreszcie nauczycie się jeść pałeczkami!

2 Proszę zrobić listę najważniejszych czynności, które wykonujemy w kuchni. Proszę zapytać kilku osób w grupie, kiedy ostatnio je wykonywały.

* *zmywanie naczyń*..
* ....
* ....
* ....

Kiedy ostatnio zmywałeś / zmywałaś naczynia?
Kiedy ostatnio piekłeś / piekłaś ciasto?

3 Proszę podkreślić właściwą odpowiedź.

QUIZ ?? ?

0. Herbatę pijemy z:
a) garnka
b) filiżanki
c) kieliszka

1. Mięso jemy:
a) nożem i łyżką
b) łyżką i widelcem
c) nożem i widelcem

2. Zupę gotujemy:
a) w garnku
b) w kubku
c) na patelni

3. Herbatę mieszamy:
a) łyżeczką
b) łyżką
c) widelcem

4. Danie główne podajemy:
a) w szklance
b) w kubku
c) na talerzu

5. Kotlety smażymy:
a) na patelni
b) w garnku
c) na suszarce do naczyń

6. Umyte naczynia kładziemy na:
a) desce do krojenia
b) suszarce do naczyń
c) talerzu

7. Tort podajemy:
a) na ścierce
b) na talerzyku deserowym
c) w kieliszku

8. Warzywa kroimy:
a) na suszarce do naczyń
b) na desce do krojenia
c) na patelni

4 **Proszę zapytać kolegę / koleżankę:**

1. Ile minut dziennie spędza w kuchni?
2. Czy lubi jeść?
3. Czy jest wegetarianinem / wegetarianką?
4. Czy był / była kiedyś na diecie? Jaka to była dieta?
5. Jakie są jego / jej ulubione dania?
6. Kto w jego / jej domu przygotowuje posiłki?
7. Czy lubi gotować? A może woli jeść posiłki w restauracji?
8. Jeśli lubi gotować, to jakie danie jest jego / jej specjalnością?
9. Czy lubi zmywać naczynia?

5a **Proszę wysłuchać krótkich wypowiedzi. Proszę wpisać numer wypowiedzi przy każdym rysunku.**

CD 22

5b **Które z podanych niżej zwrotów mają znaczenie pozytywne, negatywne, a które są neutralne?**

√ Pyszne! Wygląda apetycznie!
Obrzydliwe! Naprawdę znakomite!
Może być... Niebo w gębie!
Świetne! Ohyda! Wyśmienite!
Mniam, mniam... Niezłe!
Smakowało mi, ale...
Palce lizać! Łeee...

Pyszne!

5c Co powie Pan / Pani w tej sytuacji? Proszę zaznaczyć poprawną odpowiedź:

0. Twój kolega upiekł bardzo dobry sernik. Próbujesz kawałek i mówisz z zadowoleniem:
   a) Pyszny sernik!
   b) Ten sernik był naprawdę znakomity!
   c) Ohydny sernik!

1. Znalazłeś / znalazłaś w zupie włos. Mówisz:
   a) Może być...
   b) Obrzydliwe!
   c) Palce lizać!

2. Twoja babcia przygotowała kolację z okazji swoich urodzin. Wszystko bardzo ci smakowało. Dziękujesz i mówisz:
   a) Kolacja wyglądała naprawdę apetycznie!
   b) Niezłe!
   c) Kolacja była naprawdę znakomita!

3. Twoja koleżanka zrobiła pizzę. Zjadłeś / zjadłaś duży kawałek, a koleżanka proponuje ci dokładkę. Mówisz:
   a) Smakowało mi, ale chcę jeszcze.
   b) Smakowało mi, ale świetna pizza.
   c) Smakowało mi, ale już dziękuję.

4. Zrobiłeś / zrobiłaś sobie kawę z mlekiem. Próbujesz i okazuje się, że mleko było zepsute. Mówisz:
   a) Mniam, mniam...
   b) Łee...
   c) Palce lizać!

5. Zjadłeś / zjadłaś właśnie pyszne lody. Mówisz:
   a) Palce lizać!
   b) Ohyda!
   c) Może być...

6. Twój tata gotuje bigos. Prosi, żebyś spróbował / spróbowała. Próbujesz i mówisz:
   a) Bigos był wyśmienity.
   b) Niezły!
   c) Smakowało mi, ale już dziękuję.

6 Proszę zadać kilku osobom w grupie pytania podane w tabeli i uzupełnić ją. Można również zadać kilka dodatkowych pytań.

– Kiedy ostatnio piłeś / piłaś dobrą kawę?
– Najlepszą kawę w swoim życiu piłem / piłam dwa tygodnie temu we Włoszech, w małej kawiarni.

– Jaka to była kawa?
– To było cappuccino z czekoladą.
– Z kim byłeś / byłaś w tej kawiarni? Sam / Sama?

Kiedy ostatnio...	Kto...	Gdzie...	Kiedy...
... pił / piła pyszną kawę?			
... jadł / jadła tort?			
... znalazł / znalazła coś obrzydliwego na talerzu?			
... coś mu / jej bardzo smakowało?			
... jadł / jadła coś dobrego i pomyślała / pomyślał „palce lizać!"?			
... powiedział / powiedziała „ohyda!"?			
... jadł / jadła dobry obiad?			
... próbował / próbowała egzotycznej kuchni?			
... przygotował / przygotowała smaczną kolację?			

7a Proszę wysłuchać nagrania, a następnie zdecydować, o jakich kuchniach świata mówią ankietowane osoby. Proszę zaznaczyć, które wypowiedzi mają charakter pozytywny, a które negatywny.

CD 23–26

kuchnie	osoba 1 ☺	osoba 1 ☹	osoba 2 ☺	osoba 2 ☹	osoba 3 ☺	osoba 3 ☹	osoba 4 ☺	osoba 4 ☹
polska	☐	☐	☐	☐	☐	X	☐	☐
niemiecka	☐	☐	☐	☐	☐	☐	☐	☐
francuska	☐	☐	☐	☐	☐	☐	☐	☐
włoska	X	☐	☐	☐	☐	☐	☐	☐
grecka	☐	☐	☐	☐	☐	☐	☐	☐
amerykańska	☐	☐	☐	☐	☐	☐	☐	☐
węgierska	☐	☐	☐	☐	☐	☐	☐	☐
arabska	☐	☐	☐	☐	☐	☐	☐	☐
chińska	☐	☐	☐	☐	☐	☐	☐	☐
indyjska	☐	☐	☐	☐	☐	☐	☐	☐
śródziemnomorska	☐	☐	☐	☐	☐	☐	☐	☐
skandynawska	☐	☐	☐	☐	☐	☐	☐	☐
orientalna	☐	☐	☐	☐	☐	☐	☐	☐

7b Proszę ponownie posłuchać nagrania, a następnie dokończyć zdania.

CD 23–26

Osoba 1 poleca ....

Osoba 2 zachęca do ....

Osoba 3 uważa, że warto ....

Osoba 4 myśli, że każdy powinien spróbować ....

7c Proszę zanotować, jakie upodobania kulinarne mają ankietowane osoby. Proszę porównać z kolegą / koleżanką zanotowane informacje.

CD 23–26

	Lubi...	Nie lubi...
osoba 1 ·······		*tlustych potraw*
osoba 2 ·······		
osoba 3 ·······		
osoba 4 ·······	*zdrowe jedzenie*	

– Co lubi osoba 1?

– Lubi ....

– Czego nie lubi osoba 1?

– Nie lubi ....

- Polecam ci / panu / pani / państwu...
- Zachęcam cię / pana / panią / państwa do... / ..., żeby...
- Warto / trzeba / należy spróbować...
- Musisz / musi pan / pani / muszą państwo koniecznie...
- Powinieneś / powinnaś / powinien pan / powinna pani / powinni państwo...

lekcja
5

Słownictwo

8a **Proszę uzupełnić zdania, wykorzystując powyższe zwroty.**

0. ...*Musisz koniecznie*........... pójść do tej małej kawiarni na rogu! Można tam wypić świetną kawę!

1. Schabowy z kapustą to tradycyjne polskie danie. .... państwa do spróbowania!

2. Jeśli nie wiesz, na co się zdecydować, ... ci pierogi z kapustą i grzybami. Palce lizać!

3. Ta restauracja specjalizuje się w daniach mięsnych, ale .... też spróbować potraw wegetariańskich.

4. Jedziecie do Zakopanego? .... koniecznie kupić oscypek – tradycyjny, góralski ser. Jest czasami bardzo słony, ale .... spróbować!

8b **Co powie Pan / Pani w tej sytuacji?**

a) Twój kolega ma urodziny. Chce zaprosić przyjaciół do restauracji, ale nie jest zdecydowany dokąd pójść. Znasz świetną restaurację i próbujesz go przekonać.

b) Twoja babcia nigdy nie jadła owoców morza. Próbujesz ją zachęcić, żeby spróbowała kalmarów.

c) Turyści z zagranicy odwiedzili twoje miasteczko. Jesteś pilotem wycieczki i próbujesz zachęcić ich do spróbowania lokalnej kuchni.

d) Twoi rodzice chcą urządzić przyjęcie urodzinowe w domu. Przekonujesz ich, żeby zaprosili gości do baru sushi.

e) Twoja koleżanka chce zmienić dietę. Zachęcasz ją, żeby spróbowała kuchni wegetariańskiej.

9 **Proszę uzupełnić tekst *1200 kcal – dieta niskoenergetyczna dla zapracowanych* podanymi w ramce słowami:**

√obfite   przekąski
otyłości   nieregularnie
nadwagą   zawodowo

1200 kcal
– dieta niskoenergetyczna
dla zapracowanych

dr n. med. Magdalena Białkowska, mgr Małgorzata Rogalska-Niedźwiedź

Często osoby aktywne .... cierpią z powodu nadwagi lub .... Mała aktywność fizyczna, ...*obfite*..... posiłki spożywane ...., w liczbie 1–2 dziennie, liczne ...., a także częste okazje do spotkań w restauracjach, to główne przyczyny problemów z .... osób silnie związanych z pracą zawodową.

10a A oto pierwszy dzień diety 1200 kalorii. Co Pan / Pani o niej myśli?

produkt	ilość w miarach domowych	ilość w gramach lub mililitrach	wartość energetyczna (kcal)	zawartość tłuszczu (g)
I śniadanie			**333 w tym:**	**5,7 w tym:**
pieczywo	kromka lub 1/2 kajzerki	25 g	68	0,4
serek waniliowy	1/2 pojemniczka	100 g	128	3,6
jabłko	małe	100 g	42	0,5
mleko 0,5% tłuszczu	1 szklanka	250 ml	95	1,2
II śniadanie			**186 w tym:**	**3,8 w tym:**
chleb razowy	2 cienkie kromki	40 g	99	0,7
pieczony schab	2 małe, cienkie plasterki	20 g	45	2,6
jabłko	małe	100 g	42	0,5
woda mineralna, niegazowana	1 szklanka	200 ml	0	0,0
obiad			**483 w tym:**	**10,3 w tym:**
zupa jarzynowa czysta	talerz	300 ml	62	0,3
ziemniaki gotowane	2 średnie	150 g	115	0,2
surówka z kiszonej kapusty (bez oleju)	6 łyżek	150 g	106	4,2
sztuka mięsa	średnia porcja	100 g	200	5,6
woda mineralna, niegazowana	1 szklanka	200 ml	0	0,0
podwieczorek			**96 w tym:**	**0,5 w tym:**
banan	mały	150 g	96	0,5
kolacja			**166 w tym:**	**1,4 w tym:**
pieczywo	cienka kromka	20 g	55	0,3
ser twarogowy chudy	średni plaster na kromce	40 g	42	0,5
szynka wołowa	średni plaster	20 g	21	0,4
cykoria	6 liści	30 g	6	0,1
grejpfrut	średni	150 g	42	0,1
herbata	1 szklanka	250 ml	0	0,0
		łącznie	1264	21,7

 10b Proszę poszukać w grupie osób, które mają podobne do Pana / Pani upodobania kulinarne. Proszę zaplanować jednodniową dietę, a następnie przekonać grupę, że warto ją zastosować.

● **Gramatyka**　　　　　　　　　　**DOPEŁNIACZ**

po liczebnikach

• przy wyrażaniu ilości:

kilo mąki / **litr** mleka / **100 gram** szynki / **5 deka** sera
szklanka cukru / **butelka** wina / **słoik** dżemu
trochę soli / **kawałek** mięsa / **pół** kapusty

• po liczebnikach od **5** i wzwyż:

1	2, 3, 4	**5, 6, 7...**
jedna cebula	dwie, trzy, cztery cebule	pięć, sześć, siedem cebul
jeden ogórek	dwa, trzy, cztery ogórki	pięć, sześć, siedem ogórków
jedno jabłko	dwa, trzy, cztery jabłka	pięć, sześć, siedem jabłek

UWAGA!

2, 3, 4,...
22, 23, 24,...
132, 133, 134,...　kawałki pizzy

ale: **12, 13, 14,...** kawałków pizzy

11a **Proszę wstawić odpowiednią formę rzeczownika.**

JAJECZNICA NA SZYNCE

Pokroić 10 deka ....*szynki*...... (szynka), roztopić na patelni dwie łyżki .... (masło), wbić 5 .... (jajka) i wymieszać. Dodać trochę .... (sól) i smażyć kilka .... (minuty).

SAŁATKA GRECKA

Pokroić sałatę, 5 .... (pomidory), 5 .... (ogórki), 1 .... (cebula), dodać słoik .... (oliwki), 4 .... (jajka) na twardo, 100 gramów pokrojonego .... (ser) typu feta. Wymieszać, posolić i popieprzyć do smaku, dodać kilka łyżek .... (oliwa) z oliwek. Podawać z razowym chlebem.

11b **Proszę wstawić odpowiednią formę czasownika.**

0. wyjąć / włożyć
a) Czy możesz ......*wyjąć*...... z lodówki masło?
b) Czy możesz .....*włożyć*.... masło do lodówki?

1. wlać / wylać
a) Możesz .... tę zupę, jest już nieświeża.
b) Czy możesz .... mi trochę mleka do kawy?

2. położyć / zdjąć
a) Czy możesz wreszcie .... ten kalendarz ze ściany? Jest już nieaktualny.
b) Czy możesz .... patelnię na kuchence? Zaraz będę smażyć kotlety.

3. wrzucić / wrzucać
a) Możesz .... do zupy jeszcze jedną marchewkę?
b) Nie powinieneś .... cebuli do barszczu!

11c **Proszę napisać przepis na swoją ulubioną potrawę.**

....
....
....
....
....

UWAGA! Tryb rozkazujący w przeczeniu:
Kup pomidory w puszce!
Nie kupuj pomidorów w puszce!

11d **Proszę wstawić odpowiednią formę czasownika w trybie rozkazującym.**

0. gotować / ugotować
a) Jeśli robisz sałatkę, ...*ugotuj*... jajka 2 godziny wcześniej!
b) Nie .... dzisiaj obiadu, pójdziemy do restauracji!

1. czytać / przeczytać
a) Nie .... tej książki, nie warto!
b) .... tę książkę, jest naprawdę świetna!

2. robić / zrobić
a) Proszę, ... mi herbaty, jestem bardzo zmęczona!
b) Nie .... mi herbaty, napiję się soku!

3. zapraszać / zaprosić
a) .... Elę do kina, ona cię naprawdę lubi!
b) Nie .... ich na imprezę! Nie lubię ich.

4. brać / wziąć
a) Nie .... tylu tabletek na ból głowy!
b) .... tabletkę, jeśli boli cię głowa!

5. mówić / powiedzieć
a) .... co chcesz robić w weekend!
b) Nie .... mi o tym, nie chcę nic wiedzieć!

6. słuchać / posłuchać
a) ...., to jest świetna muzyka!
b) Nie ...., co oni mówią na nasz temat!

7. opowiadać / opowiedzieć
a) Nie .... nikomu o naszych planach!
b) ....! Jak było na wakacjach?

12a Proszę przeczytać tekst *Dobre maniery w restauracji*, a następnie dopasować do akapitów podane poniżej tytuły.

✓ *Szatnia*   *Napiwek*   *Dobór win do mięsa*

Płacenie rachunku   *Wybieranie dań z karty*

Telefon komórkowy

Dobre maniery
w restauracji

(1) Choć często mamy o sobie wysokie mniemanie, nasze maniery pozostawiają wiele do życzenia. Dlatego radzimy, jak zachować się w sytuacjach mniej lub bardziej oficjalnych. O dobrych manierach opowiada Henryk Samojedny – szef kelnerów we wrocławskiej restauracji Dwór Polski, który prowadzi szkolenia z zachowania się przy stole.

(2) .... *Szatnia* ....

Przed wejściem trzeba sprawdzić, czy są wolne miejsca – powinien o tym poinformować portier. W szatni zdejmujemy wierzchnie okrycie. Obowiązkowo zostawiamy parasole, walizki, torby. Można też poprawić tu wygląd: ubranie, makijaż. Ale jeśli siedzimy już przy stoliku, wychodzimy w tym celu do toalety.

(3) ....

Na początku zamawiamy apéritif, czyli coś na zaostrzenie apetytu, następnie jemy przystawkę, zupę i danie główne.

(4) ....

Białe wino zamawiamy do ryb, cielęciny i drobiu, do bardzo delikatnych mięs. Czerwone – do cięższych: pieczonej wołowiny, do potraw smażonych, dziczyzny, kaczek, mięs krwistych.

(5) ....

Jeżeli musimy być koniecznie „pod telefonem", zostawiamy komórkę w szatni i informujemy portiera, żeby nas poinformował, jeśli telefon będzie dzwonił. Jeżeli nie czekamy na ważny telefon, dobrze jest wyłączyć komórkę i wtedy można ją mieć przy sobie. Jeśli potrzebujemy pomocy kelnera, powinniśmy poczekać i dyskretnie na niego skinąć, a nie pstrykać palcami czy głośno stukać w stół.

(6) ....

Rachunek płacimy dyskretnie: gospodarz prosi kelnera, a ten podaje mu rachunek tak, aby zaproszeni przez nas goście nie widzieli sumy.

(7) ....

Napiwek nie jest obowiązkowy, choć w dobrym tonie jest nagrodzić w ten sposób kelnera, jeśli jesteśmy zadowoleni z posiłku i obsługi. Napiwek powinien wynosić 10 procent kwoty końcowej, ale jeśli będzie mniejszy, np. 5 procent, nie będzie to wielkie *faux pas*.

 12b Tekst *Dobre maniery w restauracji* został podzielony na 7 akapitów. Po ich przeczytaniu proszę zaznaczyć wypowiedź, która jest zgodna z tekstem.

0. Fragment 1 informuje, że:
a) Większość osób myśli, że potrafi zachować się przy stole, ale to nieprawda.
b) Większość osób nie ma problemów z odpowiednim zachowaniem się przy stole.

1. Fragment 2 informuje, że:
a) Płaszcze, parasole i walizki zostawiamy w szatni, a makijaż i ubranie poprawiamy przy stole.
b) Płaszcze, parasole i walizki zostawiamy w szatni, tam możemy też poprawić makijaż lub ubranie.

2. Fragment 3 informuje, że:
a) Zaczynamy obiad od zamówienia apéritifu.
b) Zamawiamy apéritif po zakończeniu obiadu.

3. Fragment 4 informuje, że:
a) Białe wino zamawiamy do delikatnych mięs.
b) Czerwone wino zamawiamy do drobiu.

4. Fragment 5 informuje, że:
a) Jeżeli czekamy na ważny telefon, możemy mieć przy sobie włączoną komórkę.
b) Jeżeli czekamy na ważny telefon, możemy zostawić komórkę w szatni i poprosić portiera, aby nas zawołał, kiedy zadzwoni telefon.

5. Fragment 6 informuje, że:
a) Rachunek płacimy dyskretnie, tak aby zaproszeni przez nas goście nie widzieli sumy.
b) Dyskretnie prosimy kelnera, aby podał nam rachunek w ten sposób, aby nasi goście widzieli sumę, którą płacimy.

6. Fragment 7 informuje, że:
a) Jeśli jesteśmy zadowoleni z obsługi i jedzenie nam smakowało, napiwek powinien wynosić 10% kwoty końcowej, jeśli nie jesteśmy zadowoleni, musimy dać kelnerowi co najmniej 5% sumy, którą płacimy.
b) Napiwek nie jest obowiązkowy, ale jeśli zdecydujemy się go dać kelnerowi, powinien wynosić około 10% kwoty końcowej, jednak nie mniej niż 5% płaconej sumy.

Idiomy

13a **Proszę przeczytać tekst. Jak Pan / Pani myśli, co było dalej? Co oznaczają poniższe wyrażenia?**

Kasia zamknęła drzwi mieszkania, które od dwóch lat wynajmowała razem z Martą i Ewą, studentkami trzeciego roku socjologii. Dziewczyny poznały się jeszcze na egzaminach
5 wstępnych na studia i od tej pory mieszkały razem.

– Ale jestem głodna! – powiedziała. Mamy coś do jedzenia? Nic nie jadłam przez cały dzień.

– Masz szczęście – uśmiechnęła się Marta
10 – kupiłam pyszne ciastka. Spróbuj, palce lizać!

– Ciastka? – zmartwiła się Kasia. – Wolałabym zjeść coś konkretnego.

– Nie chcesz, to nie jedz! Będzie więcej dla
15 mnie.

– Nie, nie, daj! Tak bardzo chce mi się jeść, że zjadłabym konia z kopytami!

Marta przyniosła talerz z ciastkami i dziewczyny zaczęły jeść.
20 – Mniam! Niebo w gębie! – zachwycała się Kasia.

Po chwili talerz był już pusty. Wtedy otworzyły się drzwi.

– Cześć dziewczyny! – zawołała Ewa, wchodząc do mieszkania. – Mamy coś do jedzenia? Nic nie jadłam przez cały dzień i jestem taka głodna, że zjadłabym konia z kopytami!
25 Marta i Kasia popatrzyły najpierw na siebie, a następnie na stojący na stole pusty talerz.

– Będziesz musiała obejść się smakiem – powiedziała niepewnie Kasia. – Chyba zjadłyśmy wszystko…

Palce lizać!
- Marta uważa, że ciastka są bardzo dobre.
- Marta mówi, że ma brudne ręce.

Zjadłabym konia z kopytami!
- Kasia ma ochotę na mięso.
- Kasia jest bardzo głodna.

Niebo w gębie!
- Kasi bardzo smakują ciastka.
- Kasia uważa, że ciastka są za słodkie.

Będziesz musiała obejść się smakiem.
- Kasia mówi, że Ewa powinna kupić sobie takie same ciastka, bo są bardzo dobre.
- Kasia mówi, że Ewa nie dostanie ciastek, bo wszystkie zostały zjedzone przez nią i Martę.

  13b **Proszę wymienić sytuacje, w jakich możemy użyć tych wyrażeń. Proszę napisać dialog, w którym użyją Państwo przynajmniej dwu poznanych idiomów.**

- *palce lizać*
- *zjeść konia z kopytami*
- *niebo w gębie*
- *obejść się smakiem*

Część E. Mówienie

I   Co powie Pan / Pani w tej sytuacji? Proszę sformułować wypowiedź.

1. Koleżanka przygotowuje się do ważnego egzaminu. Bardzo się boi i ma problemy z koncentracją. Pyta, czy zna Pan / Pani jakąś skuteczną metodę przyswajania wiedzy. Proszę dać jej dobrą radę.

2. Znajomy opowiada Panu / Pani o swoich rodzinnych problemach. Nie interesuje to Pana / Pani, a poza tym nie ma Pan / Pani czasu. Proszę przerwać rozmówcy, a następnie zakończyć rozmowę.

3. Spotyka Pan / Pani kolegę, którego nie widział Pan / widziała Pani od dawna. Teraz pracuje jako model i świetnie wygląda. Proszę powiedzieć mu kilka komplementów.

4. Pana / Pani znajoma uważa, że uczniowie powinni nosić w szkole takie same, niebieskie ubrania. Zgadza się / nie zgadza się Pan / Pani z jej opinią. Proszę podać swoje argumenty.

5. Od kilku miesięcy pracuje Pan / Pani na własny rachunek i odnosi sukcesy. Koleżanka pyta Pana / Panią, czy jest Pan zadowolony / Pani zadowolona ze swojej pracy. Proszę odpowiedzieć.

6. Pana / Pani szef prosi, żeby wziął Pan / wzięła Pani udział w konferencji, która odbędzie się w weekend. Zaplanował Pan / zaplanowała Pani, że w niedzielę pójdzie z rodziną na basen i nie jest Pan zadowolony / Pani zadowolona z decyzji szefa. Proszę opowiedzieć o tym znajomym.

7. Wraca Pan / Pani z urlopu za granicą. Bardzo się tam Panu / Pani podobało, a najbardziej smakowała Panu / Pani regionalna kuchnia. Proszę opowiedzieć o tym znajomym.

8. Pana / Pani kolega jest obcokrajowcem. Przyjechał do Pana / Pani na kilka dni z wizytą. Zaprasza go Pan / Pani do ulubionej restauracji i zachęca, żeby spróbował tradycyjnej kuchni z regionu, w którym Pan / Pani mieszka.

II   Proszę opisać poniższe fotografie. Jak Pan / Pani myśli, o czym myślą osoby przedstawione na fotografiach?

III **Proszę przeczytać poniższe teksty, a następnie krótko je skomentować.**

a) **Indie**

Na tym rozległym subkontynencie, każdy region posiada swe własne odmienne właściwości:

• **Północ:**

Powszechne są tutaj dania mięsne, takie jak curry z baraniny lub kurczaka czy pikantne klop-
siki z jogurtem i ryżem. Równie popularna jest kuchnia Tandoori – marynowany kurczak, ryba
5 lub inne mięso pieczone w glinianym piecu.

• **Wschód:**

Kuchnia bengalska jest słynna ze swych ostro przyprawianych ryb i krewetek spożywanych
z jogurtem i kokosem.

• **Zachód:**

10 Na wybrzeżu mamy bardzo duży wybór ryb i skorupiaków – kaczka po bombajsku, ryba
pieczona lub w sosie curry i indyjski łosoś. Słynne są dania kuchni Parsów takie jak kurczak
ugotowany w ostro przyprawionej soczewicy. Podczas gdy ryż jest na południu daniem podstawowym, dalej na północ jada się więcej różnych gatunków chleba. Tropikalne owoce są
obecne wszędzie w wielkiej obfitości.

15 • **Południe:**

Potrawy curry przygotowuje się głównie z warzyw i z założenia powinny być one ostre. Lokalne
specjalności, które mają za zadanie chłodzić, to placki ryżowe oraz jogurt z ogórkiem i miętą.
Także kokos jest wykorzystywany w wielu potrawach.

www.india-tourism.com.pl

b) **Witamy w Europejskiej Akademii Mody**

Europejska Akademia Mody powstała pod patronatem czasopisma
i Portalu Polskiej Mody moda.com.pl. Jej celem jest kształcenie kadr
dla przemysłu odzieżowego – zarówno tego dużego, jak i bardzo
małego. Kursy organizowane przez Europejską Akademię Mody
5 przygotowują bowiem do pracy w produkcji przemysłowej – gdzie
wymagana jest duża dokładność i precyzja wyliczeń – ale także
znakomicie sprawdzają się w niewielkich firmach, często jednooso-
bowych, gdzie wyrób szyty jest „na miarę".

Europejska Akademia Mody ma swoje sukcesy. Działalność rozpo-
10 częła od przeprowadzenia kursu gorseciarstwa; pierwszego w Polsce
od ponad ćwierć wieku. Obecnie w trakcie realizacji jest już drugi
kurs, tym razem z zakresu konstrukcji odzieży damskiej lekkiej, a nie-
bawem rozpocznie się druga edycja kursu gorseciarstwa.

Europejska Akademia Mody jest produktem nowoczesnym, wyko-
15 rzystującym nowe techniki komunikacji. Do momentu rozpoczęcia
kursu kontakt z uczestnikami utrzymywany jest wyłącznie drogą
elektroniczną.

www.moda.com.pl

lekcja

6

Sytuacje komunikacyjne porównywanie, opowiadanie, opis
Słownictwo życie za granicą, emigracja, mniejszości narodowe i etniczne **Idiomy:** *jak ten czas leci, upaść na głowę, coś się nie mieści w głowie, przyjąć kogoś z otwartymi ramionami, stanąć na własnych nogach*
Gramatyka i składnia odmiana liczebników głównych w bierniku, dopełniaczu i narzędniku, wyrażenia czasowe
Część egzaminacyjna Część D. Pisanie

Żyć za granicą

---

 1 Proszę przeczytać poniższe wypowiedzi, a następnie odpowiedzieć na pytania.

1. Od jak dawna Elżbieta i Goran mieszkają za granicą? Czy są z tego powodu zadowoleni?
2. Co było powodem ich decyzji o zamieszkaniu za granicą?
3. Czy widzą różnice w stylu życia w swoim kraju i za granicą? Jakie?
4. Jakie korzyści przynosi im pobyt za granicą?
5. Czy widzą złe strony mieszkania poza krajem? Jakie?

Elżbieta
San Diego, USA

Goran
Kraków, Polska

Decyzja o przeprowadzce do Polski nie była dla mnie łatwa. Jestem Francuzem, ale przez kilka lat pracowałem w Czechach. Firma zaproponowała mi kierownicze stanowisko i większą pensję – warunkiem było zamieszkanie w Krako-
5 wie. Zgodziłem się, jednak moja dziewczyna, Czeszka, która ma w Rakowniku dobrą pracę, została w kraju. Od ponad dwóch lat wyjeżdżam na każdy weekend do Czech i muszę przyznać, że jest to dla mnie męczące.
Jeśli chodzi o życie w Europie Wschodniej, nie widzę więk-
10 szych różnic – ludzie mają podobne problemy, chociaż moim zdaniem Polacy są mniej otwarci niż Czesi i częściej narzekają. Lubię robić w Polsce zakupy, bo ceny sprzętu elektronicznego i domowego są dużo niższe, a obsługa w sklepach jest milsza. Jednak żywność często przywożę z Czech.
15 Jeśli jednak chodzi o różnice między życiem we Francji i w Europie Wschodniej to są one naprawdę duże.
Nie planuję zostać na stałe w Polsce, mój kontrakt niedługo się skończy i prawdopodobnie wyjadę do Francji. Mam nadzieję, że moja dziewczyna tym razem zdecyduje się wy-
20 jechać ze mną.

Jak ten czas leci... Mieszkam za granicą blisko 15 lat. W połowie lat osiemdziesiątych poznałam mojego przyszłego męża, Hiszpana. Kilka lat później wzięliśmy ślub i przeprowadziłam się do Barcelony. Nie było mi łatwo,
25 mimo że znałam język, a powodem nie były różnice kulturowe – Hiszpanie są w gruncie rzeczy bardzo podobni do Polaków – powodem była moja teściowa, która nie mogła zaakceptować faktu, że jej syn ożenił się z cudzoziemką. W 1996 roku mój mąż dostał ofertę pracy w USA i przepro-
30 wadziliśmy się do San Diego. Muszę przyznać, że Amerykanie mają zupełnie inny styl życia niż Europejczycy, nie są tak agresywni w stosunku do siebie, ale za to mniej bezpośredni w kontaktach. Dla mnie zaletą mieszkania za oceanem jest większe poczucie bezpieczeństwa, łatwiejszy
35 dostęp do pracy i lepsza pogoda. Ale są też minusy: rzadko widuję się z rodziną, no i nie mam na miejscu babci, która od czasu do czasu mogłaby zaopiekować się dzieckiem.

PORÓWNYWANIE

A jak jest u państwa / u ciebie / u was?

– U nas jest podobnie / tak samo, jak u was.
– U nas jest inaczej.
– U nas jest drożej / trudniej niż u was.
– Mamy takie same / podobne problemy.
– Mamy inne problemy niż wy.
– Nasze problemy są inne.
– Tego nie można porównywać.
– To trudno porównać.
– To nie (jest) takie proste, (jak myślisz).

2 Proszę uzupełnić odpowiedzi, podkreślając odpowiedni zwrot.

0. My też mamy dużo supermarketów, ale .....
   a) u nas jest trochę drożej niż u was.
   b) to nie takie proste.

1. ....., ludzie nie mają problemów ze znalezieniem pracy jak u was.
   a) Mamy takie same problemy
   b) U nas jest inaczej

2. Mieszkałam przez rok w Indiach. Często pytają mnie, czy żyje się tam łatwiej czy trudniej niż w USA, ale nie wiem, co powiedzieć – ..... .
   a) to trudno porównać.
   b) u nas jest taniej.

3. Sytuacja polityczna w Polsce nie jest tak stabilna, jak u was, ale ....., jesteśmy krajem demokratycznym dopiero od kilkunastu lat.
   a) u nas jest podobnie, jak u was
   b) to nie jest takie proste, jak myślisz

 3 Proszę wybrać jedną z poniższych sytuacji, a następnie przygotować dialog, w którym porównają Państwo warunki życia w niżej podanych miejscach.

1.
a) Jesteś mieszkańcem / mieszkanką dowolnego kraju Europy.
b) Jesteś mieszkańcem / mieszkanką dowolnego kraju Azji.

2.
a) Jesteś mieszkańcem / mieszkanką dowolnego kraju Ameryki Północnej.
b) Jesteś mieszkańcem / mieszkanką dowolnego kraju Ameryki Południowej.

3.
a) Jesteś mieszkańcem / mieszkanką dowolnego kraju Afryki.
b) Jesteś mieszkańcem / mieszkanką Australii.

4.
a) Jesteś mieszkańcem / mieszkanką dowolnego kraju Europy Wschodniej.
b) Jesteś mieszkańcem / mieszkanką dowolnego kraju Europy Zachodniej.

5.
a) Jesteś mieszkańcem / mieszkanką planety Ziemia.
b) Jesteś mieszkańcem / mieszkanką planety Mars.

6

4 Proszę dopasować definicje do podanych wyrazów.

1. emigracja

2. rodak

3. diaspora

4. ojczyzna

5. Polonia

a) Rozproszenie jakiejś narodowości wśród innych narodów (…); grupa tych ludzi; terytorium, na którym żyją.

b) Kraj, w którym się ktoś urodził i który jest krajem jego rodaków.

c) Wyjazd z ojczyzny do innego państwa w celu osiedlenia się tam; pobyt poza granicami ojczyzny po osiedleniu się tam.

d) Skupisko przebywającej na emigracji ludności polskiego pochodzenia.

e) Człowiek tej samej narodowości.

Mały słownik języka polskiego, Warszawa 1997

 5 Proszę zapytać kolegę / koleżankę:

Czy wie, jaka liczba osób z jego / jej kraju mieszka za granicą?

Do jakich krajów emigrują jego / jej rodacy?

Czy ich emigracja ma charakter stały czy okresowy (nauka, praca, zdobywanie doświadczeń)?

Jakie są przyczyny emigracji w jego / jej kraju – zarobkowe czy polityczne?

6a Szacuje się, że poza granicami Polski mieszka około 20 milionów ludzi polskiego pochodzenia. Oto największe skupiska polonijne:

Jak Państwo sądzą, ilu Polaków mieszka w krajach wymienionych w tabeli?

kraj	liczba ludności
Stany Zjednoczone	
Watykan	
Włochy	
Ukraina	
Niemcy	
Wielka Brytania	
Argentyna	

 6b Tabela obok przedstawia dane o ludności pochodzenia polskiego mieszkającej za granicą. Proszę wysłuchać nagrania, a następnie uzupełnić brakujące liczby.

POLONIA W LICZBACH

Poza granicami III RP żyje około 20 milionów osób narodowości polskiej. Oto statystyka*:

kraj	liczba ludności polskiego pochodzenia	największe skupiska Polonii
Stany Zjednoczone		Chicago, Detroit, Nowy Jork
Niemcy	2 000 000	Berlin, Hamburg, Zagłębie Ruhry
Brazylia	1 500 000	Kurytyba – stan Parana
Ukraina		Lwów, obwód żytomierski
Francja	1 050 000	Paryż, płn.-wsch. Francja
Białoruś	1 000 000	Grodno, zach. Białoruś
Kanada		Toronto, Montreal, Vancouver
Federacja Rosyjska	400 000	Syberia
Argentyna		Buenos Aires
Litwa	350 000	Wilno, Solecznik
Australia	200 000	Sydney, Melbourne
Wielka Brytania		Londyn
Szwecja	100 000	Sztokholm
Belgia	70 000	Antwerpia, Liège
Austria	50 000	Wiedeń
Włochy		Rzym, Katania
Grecja	50 000	Ateny
Republika Południowej Afryki	35 000	Johannesburg, Kapsztad
Holandia	20 000	Brabancja
Hiszpania	20 000	Barcelona
Nowa Zelandia	6 000	Christchurch, Auckland
Meksyk	6 000	Acapulco, Cancun
Izrael	4 000	w sumie 300 tys. polskojęz.
Japonia	600	
Watykan		
Monako	20	

Opracował: Michael Pieślak
* Uwaga powyższe dane zostały zaprezentowane wybiórczo. Pełna informacja znajduje się na stronach internetowych: www.polonia.org
Prezentowane dane pochodzą z 28.04.2003

7 Proszę uzupełnić tabelę.

ODMIANA LICZEBNIKA GŁÓWNEGO – RODZAJ MĘSKI, ŻEŃSKI I NIJAKI

mianownik / biernik	dopełniacz	narzędnik
jeden / jedna / jedno	jednego / jednej / jednego	jednym / jedną / jednym
dwa / dwie	dwóch	dwoma / dwiema (dwoma) / dwoma
trzy	trzech	trzema
cztery	czterech	
pięć	pięciu	pięcioma (pięciu)
sześć		
jedenaście	jedenastu	jedenastoma (jedenastu)
dwanaście	dwunastu	dwunastoma (dwunastu)
trzynaście	trzynastu	trzynastoma (trzynastu)
czternaście		
piętnaście		
szesnaście		
dwadzieścia	dwudziestu	dwudziestoma (dwudziestu)
dwadzieścia jeden	dwudziestu jeden	dwudziestoma (dwudziestu) jeden
dwadzieścia dwa /dwie	dwudziestu dwóch	dwudziestoma dwoma / dwiema (dwoma)
trzydzieści	trzydziestu	trzydziestoma (trzydziestu)
czterdzieści		
pięćdziesiąt	pięćdziesięciu	pięćdziesięcioma (pięćdziesięciu)
sześćdziesiąt		
sto	stu	stu (stoma)
dwieście	dwustu	dwustu (dwustoma)
trzysta	trzystu	trzystu (trzystoma)
czterysta		
pięćset	pięciuset	pięciuset
sześćset		
tysiąc	tysiąca	tysiącem
dwa tysiące	dwóch tysięcy	dwoma tysiącami
milion	miliona	milionem
dwa miliony	dwóch milionów	dwoma milionami
miliard	miliarda	miliardem
	dwóch miliardów	dwoma miliardami

prawie + mianownik	**prawie** sto tysięcy osób
co najmniej + mianownik	**co najmniej** trzysta trzydzieści kilometrów
blisko + biernik	**blisko** milion pięćset tysięcy (półtora miliona) emigrantów
ponad + biernik	**ponad** siedemset pięćdziesiąt domów
około + dopełniacz	**około** dwustu siedemdziesięciu dwóch pasażerów
poniżej + dopełniacz	**poniżej** czterdziestu ośmiu procent
od... do... + dopełniacz	**od** tysiąca **do** dwóch tysięcy osób
między... a... + narzędnik	**między** dwudziestoma **a** trzydziestoma procentami
przed + narzędnik	**przed** dwoma laty
powyżej + dopełniacz	**powyżej** trzydziestu stopni

8 Proszę wstawić liczebnik w odpowiedniej formie.

0. Uczę się polskiego od .....*dwóch*...... (2) lat.

1. W Australii mieszka około ....
(200 000) Polaków.

2. W katastrofie samolotu zginęło ponad ....
.... (350) osób.

3. Wyjechałam z Polski przed .... (3) laty.

4. W przyszłym roku zapłacimy za mieszkanie od .... (7)
do .... (10) procent więcej.

5. W Niemczech mieszka prawie .... (2 000 000)
Polaków.

9 Proszę zapytać kolegę / koleżankę:

1. Jak długo chodził / chodziła do szkoły?

2. Przed iloma laty zdawał / zdawała maturę lub inny ważny egzamin?

3. Od jak dawna studiuje / pracuje?

4. Jak długo uczy się języka polskiego?

5. Czy uczy się innego języka obcego? Od jak dawna?

6. Kiedy ostatnio zmienił / zmieniła mieszkanie?

7. Kiedy ostatnio był / była za granicą?

10a Proszę przeczytać tekst *Trzy procent odmienności*. Tekst został podzielony na 7 fragmentów. Po ich przeczytaniu proszę zaznaczyć poprawną odpowiedź.

TRZY PROCENT ODMIENNOŚCI

(1) W czerwcu (2003) Główny Urząd Statystyczny ogłosił wyniki Narodowego Spisu Powszechnego. Znalazło się w nim po raz pierwszy od 1931 roku pytanie o narodowość. Rezultaty są co najmniej zaskakujące.

(2) Polska początku XXI wieku jest państwem jednorodnym pod względem narodowościowym. Prawie 97 proc. (niecałe 37 mln) mieszkańców naszego kraju zadeklarowało narodowość polską, natomiast 1,23 proc. (471,5 tys. osób) zadeklarowało inną narodowość. 2,03 proc. (774,9 tys.) osób nie zdeklarowało swojej przynależności narodowościowej.

(3) Według norm międzynarodowych mniejszością narodową lub etniczną jest grupa obywateli o odrębnym pochodzeniu, która mieszka na terytorium danego państwa i dąży do zachowania swojego języka, obyczajów, tradycji, kultury, religii lub świadomości narodowej czy etnicznej.

(4) Konstytucja RP gwarantuje obywatelom polskim należącym do mniejszości narodowych i etnicznych wolność zachowania i rozwoju własnego języka, religii, obyczajów i tradycji oraz rozwoju własnej kultury. Z kolei ordynacja wyborcza do sejmu RP gwarantuje mniejszościom reprezentację polityczną.

(5) Największymi mniejszościami narodowymi w naszym kraju są Niemcy, Białorusini i Ukraińcy. Niemcy zamieszkują głównie tereny województw: opolskiego, śląskiego, dolnośląskiego, warmińsko-mazurskiego i kujawsko-pomorskiego. Od 1990 roku dwóch przedstawicieli niemieckiej mniejszości zasiada w polskim parlamencie. Większość polskich Niemców jest katolikami, nieliczni wyznają protestantyzm.

(6) Największym zaskoczeniem narodowego spisu jest ujawnienie największej w Polsce mniejszości etnicznej – Ślązaków. Aktywiści Ruchu Autonomii Śląska uważają, że Ślązacy są nie tyle grupą etniczną, co osobnym narodem! Uważają, że mają własną kulturę, język i poczucie wspólnoty.

(7) Polska jest krajem, w którym mniejszości narodowe i etniczne mają się zupełnie dobrze. Zostały zaakceptowane przez polskie społeczeństwo, a konflikty narodowościowo-etniczne należą do rzadkości.

„Przewodnik Katolicki" 2003, nr 2?

0. Fragment 1 informuje o tym, że:

a) W czerwcu 2003 Główny Urząd Statystyczny ogłosił wyniki Narodowego Spisu Powszechnego. Po raz pierwszy od 1931 roku znalazło się w nim pytanie o narodowość.

b) W czerwcu 2003 Główny Urząd Statystyczny ogłosił wyniki przeprowadzonego w zeszłym roku Narodowego Spisu Powszechnego. Po raz pierwszy od 1931 roku znalazło się w nim pytanie o obywatelstwo.

1. Fragment 2 informuje o tym, że:

a) Polska XXI wieku jest państwem jednorodnym pod względem narodowościowym.

b) Polska XXI wieku nie jest państwem jednorodnym pod względem narodowościowym.

2. Fragment 3 informuje o tym, że:

a) Mniejszością narodową lub etniczną jest grupa obywateli, która mieszka w Polsce, ale nie zna języka polskiego.

b) Mniejszością narodową lub etniczną jest grupa obywateli o odrębnym pochodzeniu, która mieszka w Polsce, ale dąży do zachowania swojej kultury i tradycji.

3. Fragment 4 informuje o tym, że:

a) Konstytucja RP gwarantuje mniejszościom narodowym i etnicznym prawo zachowania własnej kultury.

b) Konstytucja RP gwarantuje tylko mniejszościom narodowym prawo zachowania własnej kultury.

4. Fragment 5 informuje o tym, że:

a) Największymi mniejszościami etnicznymi w Polsce są Niemcy, Białorusini i Ukraińcy.

b) Największymi mniejszościami narodowymi w Polsce są Niemcy, Białorusini i Ukraińcy.

5. Fragment 6 informuje o tym, że:

a) Narodowy Spis Powszechny ujawnił, że Ślązacy są największą mniejszością etniczną w Polsce.

b) Narodowy Spis Powszechny ujawnił, że Ślązacy są osobnym narodem.

6. Fragment 7 informuje o tym, że:

a) Polska jest krajem, w którym mniejszości zostały zaakceptowane przez polskie społeczeństwo, a konflikty narodowościowo-etniczne nie zdarzają się często.

b) Polska jest krajem, w którym mniejszości zostały zaakceptowane przez polskie społeczeństwo, mimo konfliktów narodowościowo-etnicznych.

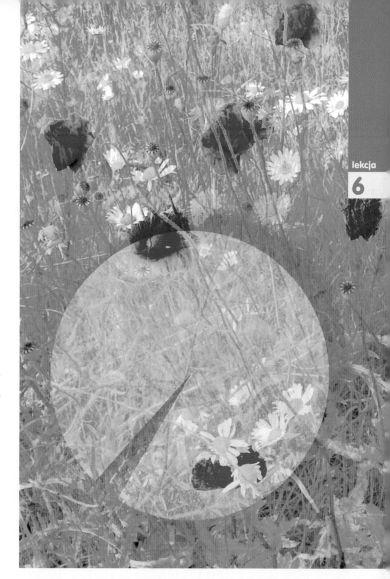

10b Proszę porozmawiać z kolegą / koleżanką.

1. Proszę wyjaśnić różnicę między pojęciami: *polskie obywatelstwo – polska narodowość*.

2. Proszę wyjaśnić różnicę między pojęciami: *mniejszość narodowa – mniejszość etniczna*.

3. Proszę wymienić prawa, jakie Konstytucja RP gwarantuje obywatelom polskim należącym do mniejszości narodowych i etnicznych.

4. Czy w Pana / Pani kraju mieszkają mniejszości narodowe i etniczne? Jakie?

5. Czy konstytucja Pana / Pani kraju gwarantuje tym mniejszościom specjalne prawa?

6. Czy mniejszości zamieszkujące na terenie Pana / Pani kraju dążą do asymilacji?

7. Czy w Pana / Pani kraju zdarzają się konflikty na tle narodowościowo-etnicznym?

● Gramatyka

za kilka lat   od kilku lat   przez kilka lat

kilka lat

kilka lat temu   przed kilkoma laty   kilka lat wcześniej / później

11 **Proszę zaznaczyć poprawne wyrażenie.**

0. Mieszkam za granicą <u>od kilku lat</u> / przez kilka lat.

1. Marek wyjechał z Polski kilka lat temu / od kilku lat.

2. Byłam we Francji od kilku lat / przed kilkoma laty.

3. Antek mieszkał w USA za kilka lat / przez kilka lat.

4. Michael przyjechał do Polski w 1999 roku. Zamieszkał w Warszawie, a kilka lat wcześniej / kilka lat później wyprowadził się do Krakowa.

5. Za kilka lat / kilka lat później zdam maturę i wyjadę na studia do Anglii.

6. Janusz przed kilkoma laty / od kilku lat nie widział swojej rodziny w Polsce.

12a **Poniżej zamieszczono 3 fotografie. Proszę wybrać jedną z nich, a następnie opowiedzieć, co mogło się wydarzyć w życiu tych osób przez ostatnie 10 lat.**

Helena

Eric

Beata

12b **Proszę wysłuchać wypowiedzi Erica, Beaty i Heleny, a następnie odpowiedzieć na poniższe pytania.**

C D
28–30

Kto:	Eric	Beata	Helena
studiował w Krakowie?	X	☐	☐
pracował jako dziennikarz?	☐	☐	☐
ma córkę?	☐	☐	☐
otworzył własną firmę?	☐	☐	☐
napisał książkę o niepełnosprawnych sportowcach?	☐	☐	☐
ma rodzinę w Anglii?	☐	☐	☐

12c Proszę jeszcze raz posłuchać wypowiedzi Erica, Beaty i Heleny, a następnie podsumować wydarzenia z ich życia.

CD 28–30

Eric Beata Helena

10 lat temu przyjechał do Polski

6

13a Proszę uzupełnić list wyrażeniami z poniższej ramki:

> √ *lat temu   wtedy   odtąd   przez jakiś czas   na początku*
> *następnie   potem   później   w końcu   od razu   przez kilka lat*

Praga, 01.02.2008

Droga Martyno!

Bardzo mnie ucieszył Twój niespodziewany list. Masz rację, ostatnio widziałyśmy się dziesięć ..*lat temu*.., jak ten czas leci... Myślałam, że wiesz o tym, że mieszkam za granicą – koresponduję z kilkoma osobami z naszego liceum i byłam przekonana, że ktoś Ci powiedział. Piszesz, że jesteś ciekawa, dlaczego zdecydowałam się wyjechać, chętnie opiszę Ci, jak do tego doszło.

Po studiach .... pracowałam w firmie, która miała filie w całej Europie. Pewnego dnia poleciałam służbowo do Pragi i .... wiedziałam, że chcę tam mieszkać – byłam zachwycona miastem i ludźmi. Zaczęłam uczyć się czeskiego i coraz częściej jeździłam do Pragi, ... mój szef zaproponował mi, żebym wyjechała tam na rok. Zdecydowałam się .... Zamieszkałam w pięknej kamienicy w centrum miasta, ale .... nie było mi łatwo – czułam się trochę samotna w obcym kraju. .... było coraz lepiej, zaprzyjaźniłam się z kilkoma osobami, ... poznałam mojego obecnego męża. Po roku moja firma postanowiła zlikwidować swoją filię w Pradze i .... musiałam podjąć najtrudniejszą decyzję w moim życiu: wracać do Polski czy zrezygnować z pracy i zostać w Czechach. Wybrałam to drugie.

.... szukałam pracy i trochę obawiałam się, że będę musiała jednak wrócić do kraju, ale .... dostałam propozycję od firmy, która szukała kogoś, kto zna polski i niemiecki i ma odpowiednie doświadczenie.

.... wyszłam za mąż i urodziłam córeczkę.

Oto moja historia.

Nie napisałaś jak to się stało, że i Ty zamieszkałaś za granicą, mam nadzieję, że dowiem się więcej z Twojego następnego listu.

Pozdrawiam Cię serdecznie i czekam na odpowiedź!
Renata

13b Proszę wybrać jeden z podanych niżej tematów i napisać list.

1. Proszę napisać odpowiedź Martyny na list Renaty.
2. Czy Pan / Pani lub ktoś z Państwa bliskich mieszkał kiedyś za granicą? Proszę opisać swoje / jego / jej doświadczenia w formie listu do przyjaciela.

14a Proszę przeczytać tekst. Jak Pan / Pani myśli, dlaczego Karol postanowił wyjechać za granicę? Co było dalej?

– Mamo, tato – powiedział Karol – w piątek wyjeżdżam za granicę.

– Co? – matka patrzyła na Karola szeroko otwartymi oczyma. – O czym ty mówisz, dziecko?

– Postanowiłem wyjechać – spokojnie wyjaśnił syn.

– Upadłeś na głowę! – krzyknął wyraźnie zdenerwowany ojciec. – Nie możesz sobie tak nagle wyjeżdżać! Co z twoimi studiami?

– Zrezygnowałem ze studiów. Mam już bilet – odpowiedział Karol.

Rodzice i syn patrzyli na siebie przez kilka chwil w milczeniu, wreszcie matka przerwała ciszę.

– To się nie mieści w głowie – powiedziała. – Mówisz nam spokojnie, że właśnie zrezygnowałeś ze studiów i wyjeżdżasz. Czy nie rozumiesz dziecko, że te studia są twoją życiową szansą?

– Mamo – odparł Karol – ja już wszystko zaplanowałem. Mam znajomych w Paryżu, na początku będę mógł u nich zamieszkać i poszukać pracy. Na pewno coś znajdę.

– Na pewno – ironizował ojciec – przyjmą cię tam z otwartymi ramionami i już pierwszego dnia dostaniesz setki propozycji…

– Może nie pierwszego dnia, tato – Karol nie rezygnował – ale w końcu znajdę pracę i po kilku miesiącach stanę na własnych nogach, wynajmę mieszkanie i będziecie mogli mnie odwiedzić.

14b Co oznaczają poniższe wyrażenia?

Upadłeś na głowę!
- Ojciec uważa, że Karol żartuje.
- Ojciec uważa, że decyzja Karola jest zła.

To się nie mieści w głowie!
- Matka jest trochę zdziwiona decyzją Karola.
- Matka jest oburzona decyzją Karola.

Przyjmą cię tam z otwartymi ramionami.
- Ojciec mówi z ironią, że Karol przyjedzie do Paryża bez pieniędzy, ale wszyscy będą chcieli mu pomóc.
- Ojciec mówi, że wszyscy ucieszą się, kiedy Karol przyjedzie do Paryża.

Stanę na własnych nogach.
- Karol mówi, że kiedy znajdzie pracę i zacznie zarabiać pieniądze, będzie niezależny finansowo.
- Karol mówi, że założy swoją firmę.

14c Proszę wymienić sytuacje, w których możemy użyć tych wyrażeń. Proszę napisać krótkie opowiadanie, w którym użyją Państwo przynajmniej dwu poznanych idiomów.

upaść na głowę
coś się nie mieści w głowie
przyjąć kogoś z otwartymi ramionami
stanąć na własnych nogach

Część D. Pisanie

I Proszę wybrać jeden z zestawów i wykonać oba polecenia.

Zestaw 1

1. Jest Pan / Pani na wakacjach w Polsce. Proszę napisać kartkę z pozdrowieniami do przyjaciół. (20 słów)

2. Dlaczego ludzie interesują się modą? Proszę napisać tekst argumentacyjny. (180 słów)

Zestaw 2

1. Telewizor, który kupił Pan / kupiła Pani tydzień temu, właśnie się zepsuł. Proszę napisać list z reklamacją. (20 słów)

2. Od kilku lat mieszkam za granicą. Żyje się tu zupełnie inaczej niż w moim kraju. – Proszę napisać tekst porównawczy. (180 słów)

Zestaw 3

1. Proszę podać przepis na swoją ulubioną potrawę. (20 słów)

2. Nie widzieliśmy się od dziesięciu lat... – Proszę napisać list do przyjaciela / przyjaciółki, w którym opowiada Pan / Pani, co wydarzyło się w Pana / Pani życiu przez ostatnie 10 lat. (180 słów)

....
....
....
....
....
....
....
....
....
....
....
....
....
....
....
....
....
....

lekcja

7

Sytuacje komunikacyjne wyrażanie konieczności, prośba o przyzwolenie i przyzwalanie

Słownictwo typy urzędów, załatwianie spraw, dokumenty Idiomy: *mieć ręce pełne roboty, na wariackich papierach, papierkowa robota*

Gramatyka i składnia alternacja ę:ą w deklinacji, *mieć* + bezokolicznik

Część egzaminacyjna Część C. Rozumienie tekstów pisanych

Muszę załatwić kilka spraw

Słownictwo

  1 **Dokąd Pan / Pani pójdzie lub zadzwoni, jeśli chce Pan / Pani...**

- zapytać, ile kosztuje i jak długo idzie przesyłka polecona za granicę
- zameldować się
- zarejestrować się jako bezrobotny
- zapłacić podatek
- uzyskać kartę czasowego pobytu
- zapłacić cło

Urząd Celny	ul. Chopina 6	0 12 234 76 12
Urząd Miasta	al. Mickiewicza 15	0 12 890 76 12
Urząd Pocztowy 4	ul. Słowackiego 56	0 12 807 23 16
Urząd Pracy	ul. Kopernika 12	0 12 120 30 40
Urząd Skarbowy	ul. Skłodowskiej 51	0 12 345 78 90

Jeśli chcę..., pójdę / zadzwonię do...

  2a **Proszę wysłuchać dialogów i zaznaczyć właściwe odpowiedzi.**

CD 31–34

Dialog 1

a) Kobieta chce się dowiedzieć, gdzie może odebrać prawo jazdy.

b) Kobieta potrzebuje wyrobić sobie nowy paszport.

c) Kobieta pyta, czy wystarczy, gdy pokaże prawo jazdy.

Dialog 2

a) Mężczyzna musi zarejestrować samochód.

b) Mężczyzna musi wypełnić formularz.

c) Mężczyzna musi pójść do pokoju 402.

Dialog 3

a) Mężczyzna chce już wyjść.

b) Mężczyzna chce uzyskać jakąś informację.

c) Mężczyzna chce pomóc.

Dialog 4

a) Obcokrajowiec musi się zameldować jak najszybciej.

b) Obcokrajowiec musi pilnie wyjechać z Polski.

c) Obcokrajowiec za trzydzieści dni wyjedzie z Polski do przyjaciółki.

2b Proszę wysłuchać dialogów jeszcze raz i zaznaczyć w tabelce zwroty, które się w nich pojawiają.

CD
31–34

WYRAŻANIE KONIECZNOŚCI

☐ – Czy to konieczne?

☐ – Tak, to absolutnie konieczne.
☐ – Nie, to nie jest konieczne.

☐ – Kiedy muszę to zrobić?
☐ – Czy to bardzo ważne / pilne?

☐ – Jak najszybciej! (Trzeba to zrobić) jeszcze dziś!
☐ – Tak, to jest bardzo ważne.
☐ – Nie, to nie jest takie pilne.

☐ – Co muszę zrobić?

☐ – Musi pan / pani wypełnić ten formularz.

☐ – Czy muszę pójść do...?
☐ – Czy mam tutaj czekać?

☐ – Tak, proszę tam pójść.
☐ – Nie, może pan / pani poczekać tutaj.

☐ – Co jest do tego potrzebne?
☐ – Czy wystarczy prawo jazdy?

☐ – Potrzebna jest karta kredytowa i paszport.
☐ – Prawo jazdy nie wystarczy. Potrzebny jest paszport.

PROŚBA O PRZYZWOLENIE I PRZYZWALANIE

☐ (Czy) można?
☐ Czy mogę już iść?
☐ Czy można tu palić?
☐ Można już wejść?
☐ Mogę tu zaparkować?

☐ Czy możemy przejść na „ty"?
☐ Czy możemy mówić po polsku?
☐ Czy można tak powiedzieć po polsku?
☐ Czy mogę stąd zadzwonić?

☐ Tak, oczywiście.
☐ Tak, proszę.
☐ Proszę bardzo.

☐ Raczej nie.
☐ Nie, niestety nie.
☐ Przykro mi, ale to niemożliwe.

3 Proszę dopasować pytania (1 – 6) do odpowiedzi (a – f).

☐ 1. Musimy załatwić kilka spraw: zameldować się, odebrać prawo jazdy i zrobić zakupy. Jak myślisz, w jakiej kolejności to załatwimy?

☐ 2. Czy to konieczne?

☐ 3. Czy to bardzo pilne?

☐ 4. Czy to jest dla Pana bardzo ważne?

☐ 5. Gdzie można zapalić?

☐ 6. Czy można tu zaparkować?

a) Tak, trzeba to zrobić jak najszybciej.

b) Tak, oczywiście, to parking dla interesantów.

c) Niestety, tu w urzędzie obowiązuje całkowity zakaz palenia.

d) Najpierw pojedziemy do urzędu miasta, a potem do centrum handlowego.

e) Tak, to absolutnie nie może czekać. Koniecznie musimy to zrobić jeszcze dziś.

f) Nie, ta sprawa nie jest tak ważna, ale pierwsza, o której mówiłem, tak.

4 **Jak zapyta Pan / Pani, kiedy:**

1. wolałby Pan / wolałaby Pani, żeby ktoś nie zwracał się do Pana / Pani per Pan / Pani.

2. nie wie Pan / Pani, czy może Pan / Pani gdzieś zaparkować samochód.

3. ma Pan / Pani ochotę na papierosa, a nie wie Pan / Pani, czy palenie nie jest zabronione.

4. nie jest Pan pewien / Pani pewna, czy w jakiś sposób może Pan / Pani powiedzieć coś po polsku.

5. nie jest Pan pewien / Pani pewna, co ma Pan / Pani robić – nie wie Pan / Pani, czy ma Pan / Pani czekać, czy dokądś iść.

6. nie wie Pan / Pani, jakie dokumenty są potrzebne.

7. nie wie Pan / Pani dokładnie, który formularz ma Pan / Pani wypełnić.

8. chce Pan / Pani wejść do jakiegoś pokoju i o coś zapytać.

9. musi Pan / Pani pilnie zadzwonić, a Pana / Pani komórka właśnie się rozładowała.

10. nie wie Pan / Pani, czy załatwienie jakiejś sprawy jest konieczne.

  5 **Proszę wyobrazić sobie, że ubiega się Pan / Pani o kartę czasowego pobytu. Jakie przyczyny swojego pobytu w Polsce poda Pan / Pani we wniosku o przyznanie tej karty? Proszę napisać przynajmniej 10 zdań na ten temat, używając następujących słów i zwrotów:**

> zamieszkać   ponieważ
> utrzymywać się z
> miesięczne zarobki
> planuję otrzymywać / otrzymać
> do wniosku dołączam

 Idiomy

6 **Proszę przeczytać przykłady ze słownika frazeologicznego i wyjaśnić swoimi słowami, co znaczą idiomy:**

- *mieć pełne ręce roboty*
- *na wariackich papierach*
- *papierkowa robota*

mieć pełne ręce roboty

Kiedy jest się we własnym domu, to samoistnie wie się, co należy robić. Kiedy jest się u siebie, to ma się stale pełne ręce roboty.

Policjanci z „drogówki" mieli pełne ręce roboty. Wczoraj rano stłuczek zgłoszono około 20.

na wariackich papierach

Nie spodziewaliśmy się, że akcja przeprowadzona szybko, na wariackich papierach, uda się w stu procentach, ale jednak odnieśliśmy sukces.

Wszystko zależy od dziennikarzy, którzy zdecydują się z nami współpracować, ale niewielu podjęło ryzyko współpracy na wariackich papierach – bez przygotowania, bez podpisanych umów.

papierkowa robota

Zanim ostatecznie moja firma rozpocznie działalność, czeka mnie jeszcze papierkowa robota, załatwianie spraw w różnych urzędach i podpisanie umowy ze wspólnikiem.

Od początku tego miesiąca urzędnicy nie wychodzą zapewne z pracy, są zawaleni papierkową robotą w związku z nowymi przepisami.

● Gramatyka

7a **Proszę uzupełnić odmianę słowa „urząd".**

RZECZOWNIK *urząd*

przypadek / pytania	liczba pojedyncza	liczba mnoga
mianownik *kto? co?*	..*Urząd*... Miasta jest w centrum.	W niedzielę ..*urzędy*.. są nieczynne.
dopełniacz *kogo? czego?*	Nie pamiętam adresu .... Skarbowego.	Na tej ulicy jest wiele ....
celownik *komu? czemu?*	Przyglądam się .... Miasta – ładnie go odremontowali.	Inicjatywa ta udała się dzięki nowym .... pracy.
biernik *kogo? co?*	Taksówka podjechała pod .... Miasta.	Znam dobrze wszystkie .... w mieście.
narzędnik *z kim? z czym?*	Na parkingu przed .... Skarbowym nie było już wolnego miejsca.	Regularnie koresponduję ze wszystkimi ....
miejscownik *o kim? o czym?*	Muszę załatwić kilka spraw w .... Miasta.	Słyszałem o aferze korupcyjnej w kilku .... skarbowych.

7b **Proszę użyć podanych wyrazów w odpowiedniej formie.**

1. *urząd*
   a) Mój znajomy pracuje w .... miasta.
   b) W .... (liczba mnoga) często są kolejki.
   c) Muszę iść jutro do .... skarbowego.
   d) .... pracy oferują bezrobotnym różne dodatkowe kursy i szkolenia.
   e) Byliśmy już w kilku .... w Polsce.

2. *mąż*
   a) Rozmawiałeś już z jej ....? Jest bardzo sympatyczny.
   b) Pani Wiesia miała w życiu dwóch ....
   c) Ona nigdy nie opowiada o swoim ....
   d) W zeszłym roku Anna wyszła za .... za Wieśka.
   e) Marta jest w separacji ze swoim .... już od dwóch lat.

3. *wąż*
   a) Boisz się ....? (liczba mnoga)
   b) Nigdy nie dotknę żadnego ....!
   c) Jacek pasjonuje się .... – może o nich opowiadać godzinami!
   d) Miałam dzisiaj koszmarny sen – śniły mi się ....!
   e) W niedzielę rano oglądaliśmy w telewizji program o .... (liczba mnoga)

4. *ząb*
   a) Od rana bolą mnie ....
   b) Dentysta wyrwał mi ....
   c) Z tym .... coś jest nie w porządku, boli mnie od wczoraj.

8 **Proszę uzupełnić dialogi pytaniami. W pytaniach proszę użyć konstrukcji *mieć + bezokolicznik*.**

0.
– Proszę cię, odbierz moje prawo jazdy z urzędu miasta.
– *Kiedy mam to zrobić*....................................?
– W przyszłym tygodniu.

1.
– Nie mogę sobie z tym poradzić.
– ....?
– Tak, proszę pomóż mi.

2.
– Strasznie tu gorąco!
– ....?
– Tak, proszę, otwórz, jeśli możesz.

3.
– Bolą mnie plecy od tego siedzenia przy komputerze.
– ....?
– O tak, proszę, zrób mi masaż!

4.
– Nie jestem pewien, czy dobrze przetłumaczyłem ten tekst.
– ....?
– Tak, proszę, sprawdź go.

5.
– Nie mogę otworzyć tego pliku, który ostatnio wysłałaś mi e-mailem.
– ....?
– Tak, proszę, wyślij mi go jeszcze raz.

6.
– Nie wiemy, czy poradzimy sobie z przygotowaniem tej imprezy.
– ....?
– Tak, pomóżcie nam, jeśli macie czas w sobotę przed południem.

7.
– Nie wiem, jak się programuje ten magnetowid.
– ....?
– Tak, proszę, pokaż mi.

8.
– Nie wiem, jak dojechać do urzędu skarbowego.
– .... albo ....?
– Tak, proszę, narysuj mi.... albo nie, lepiej pokaż na planie miasta.

9.
– O! Już tak późno? Muszę wrócić do domu, ale ostatni tramwaj pewnie już odjechał!
– ....?
– Tak, proszę, zamów. Znasz numer?

10.
– Nie wiem, czy Maciek pójdzie z nami w sobotę do kina. Może nie ma czasu.
– .... i ....?
– Tak, proszę, zadzwoń, ale koniecznie jeszcze dzisiaj!

Część C. Rozumienie tekstów pisanych

- proszę przeczytać uważnie polecenie;
- proszę rozwiązać najpierw te zadania, przy których jest Pan / Pani najbardziej pewny / pewna swoich odpowiedzi;
- proszę nie zostawiać nierozwiązanych zadań – nawet jeśli nie jest Pan pewny / Pani pewna, proszę wybrać jakąś odpowiedź.

I **Proszę zaznaczyć poprawną odpowiedź.**

0. Wstęp wzbroniony!
Ten napis oznacza, że:
a) można wchodzić,
b) nie wolno wchodzić,
c) trzeba wchodzić.

1. Przyjmowanie paczek i przesyłek poleconych
Ten napis można spotkać:
a) w urzędzie skarbowym,
b) w urzędzie pocztowym,
c) w urzędzie miasta.

2. Rejestracja podmiotów gospodarczych
Ten napis oznacza, że:
a) można tu zarejestrować firmę,
b) można tu zarejestrować samochód,
c) można tu zarejestrować gospodarstwo rolne.

3. Zameldowania i wymeldowania
Ten napis można spotkać:
a) w urzędzie pracy,
b) w urzędzie celnym,
c) w urzędzie miasta.

4. PKO
Ten skrót oznacza:
a) urząd,
b) bank,
c) samochód.

5. Rejestracja pojazdów
Ten napis można spotkać:
a) w urzędzie miasta,
b) w urzędzie pocztowym,
c) w urzędzie pracy.

6. Twój list jest naszym priorytetem!
Ten napis to reklama:
a) usługi bankowej,
b) usługi telefonicznej,
c) usługi pocztowej.

7. Prawo do obsłużenia poza kolejnością przysługuje kobietom z widoczną ciążą, inwalidom i niepełnosprawnym
Ten napis oznacza, że:
a) kobiety, inwalidzi i niepełnosprawni nie muszą stać w kolejce,
b) kobiety, które spodziewają się dziecka, muszą stać w kolejce,
c) niepełnosprawni nie mogą stać w kolejce.

8. Wzory prawidłowego wypełniania formularzy pocztowych
Ten napis oznacza, że:
a) na poczcie trzeba wypełniać wzory formularzy,
b) podane zostały przykłady prawidłowego wypełniania formularzy,
c) na tej poczcie brakuje prawidłowych formularzy.

9. US
Ten skrót oznacza:
a) partię polityczną,
b) państwo,
c) urząd.

10. Wpłaty i wypłaty
Ten napis oznacza, że w tym okienku:
a) można kupić znaczek,
b) można zapłacić rachunek za telefon,
c) można zapłacić kartą kredytową.

Po przeczytaniu fragmentów tekstów proszę zaznaczyć poprawną odpowiedź.

0. Program przeciw korupcji*

Program realizowany we współpracy z Helsińską Fundacją Praw Człowieka.

Celem Programu jest przeciwdziałanie korupcji i upowszechnianie standardów przejrzystości życia
5 publicznego. Prace Programu Przeciw Korupcji zainicjowała w 2000 roku kampania edukacyjna przeprowadzona pod hasłem: KorupcJa. Nie musisz dawać, nie musisz brać w tym udziału.

* www.batory.org.pl

1. Biurokracja...

To prawdziwa plaga społeczna. Potrafi utrudnić życie każdemu obywatelowi, a nawet władzom. (...) Papierki, pieczątki, dziesiątki urzędów, tu rejestracja, tam zapis, gdzie indziej – kolejka... No, kolejki
5 w biurokracji są wszędzie – podobnie jak np. opłaty urzędowe i skarbowe – i to wcale nie takie małe. (...) Prawie na wszystko trzeba mieć zezwolenia, rejestracje, wypisy, odpisy, itp. i wszystko to kosztuje...

Krzysztof „Critto" Sobolewski,
www.critto.webpark.pl

2. Paczka priorytetowa*

Poczta polska przygotowała wyjątkowy rodzaj przesyłki o nazwie – Priorytet. Dzięki niej, już od lipca 2002 roku, list dotrze do adresata w bardzo krótkim czasie:
5 – Polska – 1 dzień (następnego dnia roboczego po dniu nadania)
– Europa – 3 dni (do 3 dnia roboczego po dniu nadania)
– świat – 6 dni (do 6 dnia roboczego po dniu na-
10 dania)

* na podstawie ulotki reklamowej Poczty Polskiej

3. ADMINISTRACJA PUBLICZNA*

Tworzą ją wszystkie instytucje i urzędy, których zadaniem jest bezpośrednie, praktyczne zarządzanie różnymi dziedzinami życia społecznego. W Polsce administracja publiczna ma dwa poziomy: central-
5 ny (rząd) i wojewódzki (wojewodowie).

* www.interklasa.pl

4. Integracja europejska*

Studia przeznaczone dla kandydatów przygotowujących się do egzaminu na urzędników UE, a także pracowników administracji publicznej, samorządu i organizacji pozarządowych zajmujących się
5 współpracą regionalną i wykorzystaniem funduszy strukturalnych i pomocowych UE. Studia trwają dwa semestry i obejmują 180 godzin zajęć. Zajęcia odbywają się co dwa tygodnie w soboty oraz w niedziele. Oba semestry kończą się egzaminami.
10 Warunkiem uzyskania dyplomu jest zaliczenie zajęć, zdanie egzaminów oraz przedłożenie pracy dyplomowej lub udział w projekcie dyplomowym.

* www.wse.krakow.pl

5. Zezwolenie na zamieszkanie na czas oznaczony – karta czasowego pobytu*

Cudzoziemiec, który wykaże, że zachodzą okoliczności uzasadniające jego zamieszkiwanie na terytorium Polski przez okres dłuższy niż 12 miesięcy, może wystąpić z wnioskiem o udzielenie zezwolenia
5 na zamieszkanie na czas oznaczony i wydanie karty czasowego pobytu.
Okolicznościami takimi mogą być w szczególności:
– uzyskanie zezwolenia na zatrudnienie lub wykonywanie innej pracy zarobkowej,
10 – prowadzenie działalności gospodarczej,
– podjęcie nauki,
– zawarcie związku małżeńskiego z obywatelem polskim albo cudzoziemcem posiadającym zezwolenie na osiedlenie się.

* www.mswia.gov.pl

0. Ten tekst informuje o tym, że

   a) Helsińska Fundacja Praw Człowieka finansuje program przeciw korupcji.

   b) <u>program przeciw korupcji zaczął być realizowany w 2000 roku.</u>

   c) w 2000 roku program realizowany był pod hasłem „kampania edukacyjna".

1. Ten tekst mówi, że...

   a) prawie na wszystko można sobie pozwolić.

   b) każdy obywatel ma prawo do władzy.

   c) opłaty urzędowe i skarbowe są wysokie.

2. Ten tekst jest informacją o tym, że

   a) paczkę priorytetową można wysyłać od lata 2002.

   b) paczka dotrze do adresata w dniu nadania.

   c) wyjątkowo można wysyłać przesyłkę o nazwie Priorytet.

3. Z tego tekstu dowiadujemy się, że

   a) osoby pracujące w urzędach i instytucjach są z reguły praktyczne.

   b) różne urzędy i instytucje tworzą administrację publiczną.

   c) w Polsce są dwa wojewódzkie centra administracyjne.

4. Ten tekst informuje o tym, że

   a) zajęcia na kierunku Integracja Europejska prowadzone są w weekendy.

   b) studia trwają dwa lata.

   c) warunkiem uzyskania dyplomu jest zdanie egzaminów lub udział w projekcie dyplomowym.

5. Ten tekst jest informacją o tym, że

   a) obcokrajowiec może ubiegać się o kartę czasowego pobytu.

   b) obcokrajowiec, który mieszka w Polsce, musi tu studiować.

   c) jeśli obcokrajowiec jest w związku małżeńskim z obywatelem polskim, musi pracować w Polsce.

lekcja

8

Sytuacje komunikacyjne pytanie o gotowość świadczenia usług, oferowanie zrobienia czegoś, obiecywanie i zapewnianie, podziękowanie

Słownictwo rodzaje usług, nazwy zakładów usługowych
Idiomy: *złota rączka, mieć coś w małym palcu, nie kiwnąć palcem, siedzieć z założonymi rękami*

Gramatyka i składnia przymiotnikowa odmiana rzeczowników typu: *chory, podróżny*, imion zakończonych na: *-y, -i* oraz nazwisk z końcówką: *-ski, -cki, -ska, -cka*

Część egzaminacyjna Część A. Rozumienie ze słuchu

Usługi

1 Poniżej podano ogłoszenia prasowe oraz informacje o osobach, które potrzebują pomocy fachowca. Proszę zaznaczyć, które usługi będą odpowiadać poszczególnym osobom.

Systemy Alarmowe
OKO
Ryszard Piasecki
ul. Beskidzka 21
tel./faks: 017 6548759

Montaż:
**systemów alarmowych
telewizji przemysłowej
wideodomofonów
monitorowanie obiektów**

Studio MIRO
Rynek Główny 205
Tel. 012 422-12-28

KONSERWACJA DZIEŁ SZTUKI
OPRAWA OBRAZÓW
RENOWACJA RAM I OBRAZÓW

www.studiomiro.krakow.pl

AUTO SERWIS Marian Nędza
ul. Kanclerska 12
KOMPUTEROWA DIAGNOSTYKA
26-220 Stąporków
tel. 041 374-10-144
REMONTY GENERALNE
(z gwarancją)
• silników
• zawieszeń
• układów hamulcowych
• LAKIERNICTWO
• BLACHARKA
• KOMPLEKSOWA OBSŁUGA POWYPADKOWA

„CHIQUE"
ARTYSTYCZNA PRACOWNIA KRAWIECKA
szycie • krojenie • przeróbki • overlock
Tel. 041 374-12-65
Kielce, ul. Sienkiewicza 80/23

BE-GRAM
Komputery
Projektowanie i instalacja
sieci komputerowych
Programy użytkowe
Naprawa komputerów

BE-GRAM Kraków
Tel. / faks 012 637-36-13
e-mail: begram@kurier.pl

firma **STEFAN**

INSTALACJE wodno-kanalizacyjne • centralne ogrzewanie • gaz
SPRZEDAŻ • MONTAŻ • SERWIS • POGOTOWIE HYDRAULICZNE
Awarie wod.-kan.-co-gaz
Stefan Bąk, Kozia Wola 32, tel. / faks 041 543-13-12

0. Karolina jest studentką. Pisze właśnie pracę magisterską, a jej stara drukarka ciągle się psuje. Karolina zadzwoni do *firmy BE-GRAM* .

1. Marcin ma w domu dziewiętnastowieczny portret prababki. Portret jest bardzo zniszczony i trzeba go odnowić. Marcin zadzwoni do ....

2. Łucję obudził w nocy dziwny hałas. Okazało się, że pękła rura i cała łazienka jest pełna wody. Łucja zadzwoni do ....

3. Piotr miał wypadek. Jego samochód jest rozbity, więc zadzwoni do ....

4. Romek mieszka w bardzo niespokojnej dzielnicy. Kręci się tu dużo podejrzanych osób. Romek obawia się o bezpieczeństwo swojej rodziny, postanowił więc zadzwonić do ....

5. Basia kupiła spodnie, które są za długie. Musi je skrócić, więc dzwoni do ....

2 Proszę zadać kilku osobom w grupie pytania podane w poniższej tabeli. Proszę uzupełnić tabelę. Można również zadać kilka dodatkowych pytań.

– Czy kiedykolwiek zepsuł ci się samochód?
– Tak.
– Kiedy to było?
– Dwa lata temu, wracałem wtedy z...
– I co zrobiłeś w tej sytuacji?

Czy kiedykolwiek...	Kiedy to się stało?	Co zrobił / zrobiła w tej sytuacji?
zepsuł się mu / jej samochód?		
miał / miała awarię centralnego ogrzewania?		
pękła rura w jego / jej mieszkaniu?		
zepsuł się mu / jej komputer?		
odnawiał / odnawiała stare meble?		

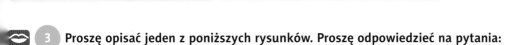 **3** Proszę opisać jeden z poniższych rysunków. Proszę odpowiedzieć na pytania:

• Jak Pan / Pani myśli, dlaczego te osoby znalazły się w tej sytuacji?
• Jak rozwiązały swój problem?

4 **Proszę zapytać kolegę / koleżankę:**

- Z jakich usług najczęściej korzysta w swoim kraju?
- Czy korzystał / korzystała już z jakichś usług w Polsce?
- Jeśli tak, to czy był zadowolony / była zadowolona?
- Jeśli nie, to dlaczego?
- Czy ma zamiar skorzystać z jakichś usług w Polsce?

usługi *rz. nmos, blp, D. -ug* / działalność mająca na celu zaspokojenie wielorakich ludzkich potrzeb, prowadzona przez ludzi mających odpowiednie kwalifikacje i dysponujących potrzebnym sprzętem, lokalem itp. / Usługi krawieckie, stomatologiczne, transportowe, pogrzebowe. Świadczyć usługi w jakimś zakresie.

Słownik współczesnego języka polskiego, red. B. Dunaj, Warszawa 1996

  5 **Czy wiedzą Państwo, jakie usługi świadczą firmy i zakłady, których szyldy zamieszczono poniżej? Proszę powiedzieć, w jakiej sytuacji z nich korzystamy?**

Idziemy do salonu kosmetycznego, żeby zrobić peeling,...

6 **Proszę przygotować w grupach listę najpotrzebniejszych usług, a następnie podzielić je na kategorie. Proszę porównać w grupie ceny usług w Państwa krajach.**

7 **Proszę wysłuchać wypowiedzi i minidialogów, a następnie zakreślić właściwą odpowiedź.**
CD 35

1. Ta wypowiedź jest możliwa:
   a) w zakładzie krawieckim,
   b) w zakładzie fryzjerskim,
   c) u kosmetyczki.

2. Ta wypowiedź jest możliwa:
   a) na poczcie,
   b) u lekarza,
   c) u prawnika.

3. Ta osoba dzwoni do:
   a) hydraulika,
   b) mechanika,
   c) szewca.

4. Ta wypowiedź jest możliwa:
   a) w zakładzie krawieckim,
   b) w zakładzie fryzjerskim,
   c) w punkcie napraw sprzętu RTV.

5. Ta osoba dzwoni do:
   a) salonu samochodowego,
   b) warsztatu samochodowego,
   c) myjni samochodowej.

6. Ta osoba dzwoni do:
   a) punktu napraw sprzętu RTV,
   b) punktu napraw sprzętu AGD,
   c) pogotowia hydraulicznego.

8 Proszę przeczytać zwroty w poniższej tabeli, a następnie zdecydować, które z nich wypowiada osoba świadczą- ca usługi, a które jej klient.

PYTANIE O GOTOWOŚĆ ŚWIADCZENIA USŁUG	– Czy można tutaj...? / Czy mogą państwo...? – Czy naprawiają państwo...? / Czy zajmują się państwo naprawą...? – Czy jest szansa, że...? – Jak szybko mogą państwo przyjechać? /... przysłać kogoś?
OFEROWANIE ZROBIENIA CZEGOŚ	– W czym mogę pomóc? – W czym mogę panu / pani / państwu / ci pomóc? – Może w czymś pomóc? – Co mogę dla pana / pani / państwa / ciebie zrobić?
OBIECYWANIE, ZAPEWNIANIE	– Obiecuję, że... / Obiecuję! / Na pewno! – Pomogę panu / pani / państwu / ci! – Myślę, że mogę... / Spróbuję panu / pani / państwu / ci pomóc. – Zapewniam pana / panią / państwa / cię, że... – Nie obiecuję, ale... – Nie mogę panu / pani / państwu / ci tego niestety obiecać. – Niestety, nie mogę tego zrobić.
PODZIĘKOWANIE	– Dziękuję bardzo. – Będę panu / pani / państwu / ci zobowiązany / zobowiązana! – Będę panu / pani / państwu / ci bardzo wdzięczny / wdzięczna! – To miło z pana / pani / państwa / twojej strony!

9a Proszę wysłuchać nagrania i zaznaczyć, czy poniższe zdania są prawdziwe (P) czy nieprawdziwe (N).

CD 36

0. Wiktor i Dorota mają problem z DVD.   Ⓟ N

1. DVD Wiktora i Doroty w ogóle nie działa.   P / N

2. Dorota znalazła numer pana Jabłońskiego w książce telefonicznej.   P / N

3. Pan Jabłoński prowadzi własny punkt napraw RTV.   P / N

4. Pan Jabłoński potrafi naprawiać sprzęt AGD.   P / N

5. „Kubacki-Serwis" nie ma w tym tygodniu czasu, żeby przysłać fachowca.   P / N

6. „Skorpion" to punkt napraw RTV.   P / N

7. „Skorpion" zajmuje się naprawą tylko niektórych dostępnych na rynku modeli DVD.   P / N

8. „Skorpion" nie naprawia sprzętu w domu klienta.   P / N

9. Pan Jabłoński obiecuje, że na pewno naprawi DVD Doroty i Wiktora.   P / N

10. Dorota jest wdzięczna, że pan Jabłoński chce im pomóc.   P / N

9b Proszę ponownie wysłuchać nagrania i odpowiedzieć na pytania.

CD 36

1. Dlaczego Dorota mówi o panu Jabłońskim „złota rączka"?

....

2. Dlaczego Wiktor niechętnie zgadza się, żeby pan Jabłoński obejrzał ich DVD?

....

3. Dlaczego Wiktor nie chce skorzystać z usług punktu napraw „Kubacki-Serwis"?

....

4. Dlaczego Wiktor nie decyduje się na usługi punktu napraw „Skorpion"?

....

9c Proszę wysłuchać nagrania po raz ostatni, a następnie uzupełnić poniższe zdania.

0. Dzwoniłeś wczoraj ...*w sprawie*.... naszego DVD?

1. ...., podobno świetnie naprawia telewizory, magnetowidy, każdy sprzęt RTV.

2. „Kubacki-Serwis", w czym ....?

3. A czy jest ...., że przyślecie kogoś do nas?

4. Nie mogę panu ...., mamy dużo klientów. Może w przyszłym tygodniu.

5. Wszystkie, dostępne .... modele.

6. A .... przysłać do nas fachowca, żeby obejrzał DVD?

7. A jaki jest .... usługi?

8. .... państwu pomóc, ale nie mogę obiecać, że to się uda naprawić.

9. Tak czy inaczej będziemy ...., panie Tadeuszu!

10 Proszę razem z kolegą / koleżanką wybrać jedną z podanych niżej sytuacji, przygotować krótką scenkę i odegrać ją przed grupą.

1. Twoje radio jest zepsute. Wchodzisz do serwisu i pytasz o warunki naprawy.

2. Koleżanka proponuje ci pomoc w sprzątaniu mieszkania. Przyjmujesz pomoc.

3. W twoim mieszkaniu pękła rura. Dzwonisz po pogotowie hydrauliczne.

4. Kolega pyta, czy możesz mu pomóc remontować mieszkanie. Nie jesteś pewny / pewna, czy to będzie możliwe.

5. Do biura, w którym pracujesz, wchodzi kobieta. Nic nie mówi, stoi i patrzy na ciebie.

6. Chcesz radykalnie zmienić fryzurę, rozmawiasz z fryzjerem.

7. Masz popsuty samochód, ustalasz z mechanikiem termin naprawy.

8. Chcesz napisać testament, rozmawiasz o tym z prawnikiem.

● Gramatyka

PRZYMIOTNIKOWA ODMIANA RZECZOWNIKÓW

	liczba pojedyncza		liczba mnoga	
mianownik	znajom**y**, -**a**	Poniatowsk**i**, -**a**	znajom**i**, -**e**	Poniatowsc**y**, -sk**ie**
dopełniacz	znajom**ego**, -**ej**	Poniatowsk**iego**, -**ej**	znajom**ych**, -**ych**	Poniatowsk**ich**, -**ich**
celownik	znajom**emu**, -**ej**	Poniatowsk**iemu**, -**ej**	znajom**ym**, -**ym**	Poniatowsk**im**, -**im**
biernik	znajom**ego**, -**ą**	Poniatowsk**iego**, -**ą**	znajom**ych**, -**e**	Poniatowsk**ich**, -**e**
narzędnik	znajom**ym**, -**ą**	Poniatowsk**im**, -**ą**	znajom**ymi**, -**ymi**	Poniatowsk**imi**, -**imi**
miejscownik	znajom**ym**, -**ej**	Poniatowsk**im**, -**ej**	znajom**ych**, -**ych**	Poniatowsk**ich**, -**ich**

11a Proszę wstawić podane w nawiasach rzeczowniki w odpowiedniej formie.

0. Czy masz numer telefonu ...*Jerzego Kowalskiego*....? (Jerzy Kowalski)

1. W sobotę jedziemy ze .... na narty. (znajomi)

2. Powiedz ...., że mam dla niego tę książkę. (Ignacy)

3. Pielęgniarka opiekuje się .... (chorzy)

4. Rozmawiałam wczoraj z Anią i Martą o pani .... (Dobrowolska)

5. Konduktor poprosił .... o bilet. (podróżny)

11b Proszę ułożyć zdania z podanymi niżej wyrazami.

0. kupić / prezent / Jerzy

...*Kupiłam Jerzemu prezent*.......................................

1. mieszkać / blisko / Radziejowscy

....

2. nie znać / siostry / Ewa i Kasia / Małeckie

....

3. pożyczyć / płyta / znajoma

....

4. słuchać / wystąpienie / posłanka / Gilowska

....

12a Proszę przeczytać tekst, a następnie odpowiedzieć na poniższe pytania:

1. Czy *Usterka* jest programem telewizyjnym czy audycją radiową? Proszę uzasadnić swoją odpowiedź.
2. Jaki charakter ma ten program: rozrywkowy czy dokumentalny?

(1) Każdemu z nas coś się kiedyś zepsuło, ale nie każdy z pojawiającym się problemem potrafi sobie poradzić sam – większość dzwoni więc po fachową pomoc, która czasem okazuje się nie taka, jakiej byśmy oczekiwali...

(2) Z założenia zatem program *Usterka*, zgodnie z hasłem: przynęta–pułapka–ofiara, sprawdza uczciwość i fachowość firm usługowych, porównując ich profesjonalizm.

(3) Pomimo pokazywanych nieuczciwości program nie ma charakteru interwencyjnego, lecz zgodnie z istotą ukrytej kamery ma w sposób nieco humorystyczny pokazywać niedostatki naszej rzeczywistości.

(4) Wzywanych do przygotowanej przez nas usterki fachowców przyjmują zawsze ci sami, ale nie tacy sami, prowadzący. Lucyna i Krzyś. To właśnie oni w zależności od rodzaju problemu wcielają się w postacie typowe dla naszej rzeczywistości. Może to być wymagająca nauczycielka czy studentka teatrologii albo informatyk lub młody przedsiębiorca.

(5) W przygotowaniu usterki pomagają nam nasi eksperci autorytety z danych dziedzin, którzy na gorąco oceniają także pracę przychodzących do nas fachowców.

(6) Co się zaś tyczy samych usterek, wybierane są one tak, by mogły dotyczyć każdego, są prawdziwe i co więcej możliwe do naprawienia. Krok po kroku śledzimy zatem, co i jak zostaje zepsute, dowiadujemy się też jak można to najszybciej, najtaniej i najskuteczniej naprawić. Zatem oceniamy zwykle koszt wykonania usługi, fachowość i uczciwość pracy fachowca oraz czas potrzebny do naprawy uszkodzonego sprzętu.

(7) Zgodnie z zasadami ukrytej kamery, w programie pokazujemy sytuacje, które zdarzyły się naprawdę. Wszystkie czynności i rozmowy zostały zarejestrowane dzięki zakamuflowanym przez nas kamerom i mikrofonom. Od pierwszego telefonu, w czasie którego wzywamy fachową pomoc, aż po sam koniec pracy specjalisty, do chwili, kiedy ujawniamy swoją obecność – nic nie jest udawane czy fingowane!!!

 12b Tekst *Usterka* został podzielony na 7 fragmentów. Po ich przeczytaniu proszę zaznaczyć poprawną odpowiedź.

0. Fragment 1 informuje, że:
(a) nie zawsze jesteśmy zadowoleni z pomocy fachowca,
b) większość ludzi nie umie naprawić zepsutego sprzętu.

1. Fragment 2 informuje, że:
a) program *Usterka* ma charakter konkursu na najlepszego fachowca.
b) program *Usterka* weryfikuje uczciwość i fachowość firm usługowych.

2. Fragment 3 informuje, że:
a) nieuczciwe firmy ponoszą prawne konsekwencje swoich działań.
b) program ma charakter rozrywkowy i nieuczciwi fachowcy nie ponoszą konsekwencji swoich działań.

3. Fragment 4 informuje, że:
a) program prowadzą zawsze te same osoby.
b) w programie występują osoby typowe dla naszej rzeczywistości.

4. Fragment 5 informuje, że:
a) zatrudnieni w programie eksperci pomagają przychodzącym do programu fachowcom.
b) eksperci, którzy występują w programie, oceniają na bieżąco pracę fachowców.

5. Fragment 6 informuje, że:
a) program *Usterka* pokazuje koszt i czas pracy fachowców oraz ocenia ich uczciwość.
b) program *Usterka* ma na celu pokazanie, z jakimi usterkami możemy się spotykać w naszych domach na co dzień.

6. Fragment 7 informuje, że:
a) sytuacje pokazane w programie *Usterka* są prawdziwe, a zatrudnieni fachowcy wiedzą, że ich pracę śledzi kamera.
b) pokazane sytuacje nie są zaaranżowane, a zatrudnieni fachowcy dowiadują się o obecności kamery po zakończeniu swojej pracy.

12c Proszę poszukać w tekście *Usterka* poniższych wyrażeń, a następnie zakreślić właściwą odpowiedź (znaczenia pozostają w zgodzie z kontekstem).

1. Fachowiec to:
a) specjalista,
b) pomocnik,
c) pracownik.

2. Usterka to:
a) błąd,
b) pomyłka,
c) wada techniczna.

3. Ofiara to:
a) osoba, która oszukała klienta,
b) osoba, która została oszukana przez fachowca,
c) świadek oszustwa.

4. Pułapka to:
a) podstęp, który ma na celu wykazanie czyjejś nieuczciwości,
b) atrakcja,
c) zatrudnienie fachowca.

5. Wcielać się w postać to:
a) przyjmować punkt widzenia innej osoby,
b) rozumieć racje innej osoby,
c) grać rolę innej osoby.

6. Oceniać coś na gorąco to:
a) analizować,
b) oceniać od razu, bez zastanowienia,
c) komentować coś głośno.

7. Uszkodzony to:
a) naprawiony,
b) zepsuty,
c) remontowany.

8. Zakamuflowany to:
a) zamontowany,
b) włączony,
c) ukryty.

 Idiomy

 13a Proszę przeczytać tekst. Jak Pan / Pani myśli, dlaczego Antek był niezadowolony, że ojciec Agnieszki naprawił magnetowid?

– Muszę naprawić wreszcie ten magnetowid – zdecydował Antek. Czytał właśnie program telewizyjny i zauważył, że późno wieczorem jest dobry film, który warto nagrać.
– Nic nie musisz naprawiać – odezwała się Agnieszka.
– Jak to? – zdziwił się Antek.
– Magnetowid jest naprawiony.
– Kto go naprawił?
– Mój ojciec.
– Dlaczego prosiłaś ojca, żeby naprawił nam magnetowid? – zdenerwował się Antek. – Przecież mogłem zrobić to sam! Sama wiesz, że elektronikę mam w małym palcu.
– Czekałam, aż naprawisz magnetowid, ale przez dwa miesiące nie kiwnąłeś palcem – wyjaśniła Agnieszka – a mój ojciec, sam wiesz, to złota rączka. Wszystko umie naprawić.
– No pewnie. Twój tata wszystko umie – Antek był zirytowany.
– A co, może nieprawda? – zapytała Agnieszka. – Naprawiał nam już kilka razy telewizor, magnetofon i pralkę.
– Ale ja też to umiem!
– Ja wiem, że umiesz, ale nigdy nie masz czasu, siedzisz z założonymi rękami i czekasz, aż wszystko samo się zrobi.

13b Co oznaczają poniższe wyrażenia?

Mam to w małym palcu.
• Antek zna osoby, które potrafią naprawiać sprzęt elektroniczny.
• Antek zna się na elektronice.

Nie kiwnąłeś palcem.
• Agnieszka mówi, że Antek nie chciał naprawiać magnetowidu.
• Agnieszka mówi, że Antek przez dwa miesiące nie zrobił nic, żeby naprawić magnetowid.

Mój ojciec to złota rączka.
• Agnieszka mówi, że jej ojciec jest wykwalifikowanym fachowcem.
• Agnieszka mówi, że jej ojciec jest utalentowany. Umie wszystko naprawić, chociaż nie jest fachowcem.

Siedzisz z założonymi rękami.
• Agnieszka mówi, że Antek nic nie robi, tylko czeka, aż ktoś zrobi coś za niego.
• Agnieszka mówi, że Antek lubi obserwować, jak ktoś coś naprawia.

  13c Proszę wymienić sytuacje, w jakich możemy użyć tych wyrażeń. Proszę napisać tekst, w którym użyją Państwo przynajmniej dwu poznanych idiomów.

• *mieć coś w małym palcu*	• *złota rączka*
• *nie kiwnąć palcem*	• *siedzieć z założonymi rękami*

Część A. Rozumienie ze słuchu

CD 37 **I** Wypowiedzi pojedyncze. Proszę uważnie słuchać i zaznaczać właściwe odpowiedzi. Nagranie będzie odtworzone tylko jeden raz.

0. Ta wypowiedź wyraża:
   (a) obawę,
   b) zmartwienie,
   c) nadzieję.

1. Ta wypowiedź wyraża:
   a) pewność,
   b) sposób,
   c) opinię.

2. Ta wypowiedź jest możliwa:
   a) przed egzaminem,
   b) podczas egzaminu,
   c) po egzaminie.

3. Ta wypowiedź to:
   a) rada,
   b) propozycja,
   c) prośba.

4. Ta wypowiedź to:
   a) opinia,
   b) komplement,
   c) podziękowanie.

5. Ta wypowiedź to:
   a) zniechęcanie,
   b) zachęcanie,
   c) przekonywanie.

6. Ta wypowiedź to:
   a) opinia,
   b) krytyka,
   c) przekonywanie.

7. Ta wypowiedź to:
   a) porównanie,
   b) przekonywanie,
   c) rada.

8. Ta wypowiedź wyraża:
   a) zadowolenie,
   b) niezadowolenie,
   c) rozczarowanie.

9. Ta wypowiedź wyraża:
   a) zadowolenie,
   b) komplement,
   c) nadzieję.

10. Ta wypowiedź to:
    a) propozycja,
    b) oferowanie pomocy,
    c) obietnica.

CD 38 **II** Proszę wysłuchać opowiadania Ani i zaznaczyć, czy poniższe zdania są prawdziwe (P) czy nieprawdziwe (N). Nagranie zostanie odtworzone dwukrotnie.

0. Kilka lat temu Ania i jej chłopak wybrali się na wakacje do Francji. (P)/ N
1. Zaprosiła ich do siebie ich wspólna przyjaciółka, która miała dom w Bordeaux. P / N
2. Z Paryża do Bordeaux musieli pojechać autostopem, bo skończyły im się pieniądze. P / N
3. Udało im się zatrzymać samochód dopiero po czterech godzinach. P / N
4. Mężczyzna, który się zatrzymał, jechał bezpośrednio do Bordeaux. P / N
5. Po 20 minutach jazdy mężczyzna powiedział, że musi wracać do Paryża. P / N
6. Mężczyzna powiedział, że musi wracać do Paryża, bo zapomniał kluczy od domu. P / N
7. Ania i jej chłopak chcieli wrócić do Paryża, ale kierowca wysadził ich na autostradzie. P / N
8. Po godzinie czekania zatrzymała się koło nich policja i ich zaaresztowała. P / N
9. Policjanci zawieźli Anię i jej chłopaka na dworzec w najbliższym miasteczku. P / N
10. Ania i jej chłopak zdecydowali, że jednak pojadą do Bordeaux pociągiem. P / N

CD 39 **III** Słuchając informacji, proszę uzupełnić brakujące fragmenty tekstu (liczebniki można zapisać cyframi). Nagranie zostanie odtworzone dwukrotnie.

W czwartek rozpoczynają się w Warszawie Krajowe Targi ..... *Książki* .....[0] . Analiza naszego rynku księgarskiego

pokazuje, że kupujemy coraz ....[1] książek, chętniej czytamy literaturę ....[2], na listach

bestsellerów królują ....[3] autorzy. Czy nadchodzą tłuste lata dla pisarzy i wydawców?

Co kryje się za ożywieniem? Wysyp dobrych tytułów, który przyniósł ....[4] rok. Mocnym początkiem

okazał się *Harry Potter i zakon Feniksa* Jane K. Rowling z imponującym pierwszym nakładem ....[5]

egzemplarzy. ....[6] ulokowała na listach bestsellerów liczne tytuły ....[7] auto-

rów: *Podróże z Herodotem* Ryszarda Kapuścińskiego (Znak, sprzedało się już ....[8] egz.), *Z Głowy*

Janusza Głowackiego (Świat Książki, ...[9]) i *Bożych wojowników* Andrzeja Sapkowskiego (SuperNowa,

...........................[10]). Powieści *Gnój* Wojciecha Kuczoka (W.A.B., książka z 2003 r.) w pierwszych miesiącach kupiono

...........................[11] egzemplarzy, a po ogłoszeniu werdyktu jury nagrody Nike – łącznie niemal ....[12] tys.

lekcja **8**

Pieniądze to nie wszystko

1a Proszę porozmawiać z kolegą / koleżanką. Jakie miary są używane w Państwa krajach? Kilometry czy mile, kilogramy czy funty? Stopnie Celsjusza czy Fahrenheita?

1. Ile dekagramów ma jeden kilogram?   1 kg = ... dkg
2. Ile gramów ma jeden dekagram?   1 dkg = ... g
3. Ile milimetrów ma jeden centymetr?   1 cm = ... mm
4. Ile centymetrów ma jeden metr?   1 m = ... cm
5. Ile metrów ma jeden kilometr?   1 km = ... m
6. Ile groszy ma jeden złoty?   1 zł = ... gr
7. Jaką temperaturę ciała ma zdrowy człowiek?   ......,...°C (stopni Celsjusza)

W rozmowie proszę użyć zwrotów:

– Jesteś pewien / pewna, że kilogram ma 100 deka?

– Jest pan pewien? Jest pani pewna?

– (Czy) na pewno / (Czy) to możliwe?

WYRAŻANIE PEWNOŚCI I NIEPEWNOŚCI

– Z całą pewnością kilogram ma 100 deka.
– Na sto procent! (*pot.*)
– Jestem tego całkowicie pewien / pewna!
– Absolutnie!
– Naturalnie!
– Z całą pewnością!

– Nie wiem dokładnie.
– Być może.
– Nie jestem całkiem pewien / pewna, ale...
– Możliwe, że....
– (To) trudno powiedzieć.

14 Opatkowice

1b Proszę rozwiązać quiz *Wiem wszystko*.

QUIZ WIEM WSZYSTKO **??**

1. Ile lat żył najstarszy człowiek na świecie?
   a) 100
   b) 120
   c) 110

2. Ilu Polaków będzie mieszkać w Polsce w 2050 roku?
   a) 40 mln
   b) 25 mln
   c) 30 mln

3. Ile milionów ludzi mieszka w Warszawie?
   a) 3 mln
   b) 1 mln
   c) 1,6 mln

4. Ile wynosi najniższa zanotowana temperatura na Ziemi?
   a) −88°C
   b) −50°C
   c) −35°C

5. Ile centymetrów wzrostu ma najwyższy człowiek na świecie?
   a) 198
   b) 258
   c) 211

6. Ile wynosi prędkość światła?
   a) 300 tys. km/sek.
   b) 300 km/sek.
   c) 3000 km/sek.

7. Ile metrów ma Mount Everest?
   a) 8900
   b) 7984
   c) 8848

8. Ile metrów ma najwyższy budynek świata (znajduje się w Kuala Lumpur)?
   a) 450
   b) 350
   c) 250

9. Ile milionów jest w jednym miliardzie?
   a) sto
   b) tysiąc
   c) pięćset

10. W jakiej temperaturze woda zamienia się w lód?
   a) dwadzieścia stopni Fahrenheita
   b) zero stopni Celsjusza
   c) pięć stopni Beauforta

Prawidłowe odpowiedzi znajdują się na końcu lekcji.

PIENIĄDZE

Co to znaczy?

- *nie mieć drobnych*
- *płacić gotówką / kartą*
- *rozmienić na drobne*
- *wypłacić pieniądze z bankomatu*
- *zrobić przelew bankowy*
- *mieć oszczędności w banku*
- *dostawać kieszonkowe*

2a Proszę zapytać kolegę / koleżankę.

1. Jak nazywa się waluta jego / jej kraju? Proszę podać jej równowartość w złotych.

2. Zwykle płaci kartą czy gotówką?

3. Co woli – wydawać czy oszczędzać pieniądze? Na co wydaje, a na co oszczędza?

4. Kto w jego / jej domu decyduje o finansach?

5. Jeśli ma dzieci – czy dostają kieszonkowe? Jeśli tak – ile?

2b Czy polskie dzieci dostają kieszonkowe? Proszę przeczytać ankietę na temat kieszonkowego w polskich rodzinach, a następnie zaznaczyć, czy poniższe zdania są prawdziwe (P) czy nieprawdziwe (N).

0. Im dziecko starsze, tym częściej dostaje kieszonkowe. (P)/ N
1. Większość dzieci dostaje pieniądze od czasu do czasu. P / N
2. Większość dzieci dostaje kieszonkowe za dobrą naukę. P / N
3. Większość dzieci dostaje mniej niż sto złotych na miesiąc. P / N
4. 77% dzieci oszczędza pieniądze. P / N

Kieszonkowe:
Komu ile?

Czy dziecko, przynajmniej od czasu do czasu, dostaje jakieś pieniądze?

4–5-letnie: 21 proc.
6–7-letnie: 35 proc.
8–12-letnie: 72 proc.
13–15-letnie: 72 proc.
16–18-letnie: 90 proc.

Dzieci najczęściej otrzymują pieniądze w prezencie – 82 proc. – oraz w formie nieregularnych wypłat, w zależności od potrzeb – 73 proc. Regularne kieszonkowe daje dzieciom jedynie 37 proc. rodziców. 16 proc. nagradza dzieci pieniędzmi za dobre oceny w szkole.

Badania IPSOS, 2003

23 proc. dzieci dostaje do 20 zł miesięcznie
24 proc. – do 40 zł
25 proc. – do 70 zł
20 proc. – do 100 zł
8 proc. – ponad 100 zł

60 proc. dzieci oszczędza pieniądze, w tym 10 proc. – na kontach młodzieżowych, 7 proc. – na książeczce oszczędnościowej.

„Polityka" 2003, nr 4•

 2c Proszę porozmawiać z kolegą / koleżanką:

- Na co, według niego / niej, dzieci zwykle wydają kieszonkowe?
- Czego dzieci mogą się nauczyć, dostając kieszonkowe?
- Czy należy dawać dzieciom kieszonkowe? Czy jest pewien / pewna swojego zdania?

ROZPOCZYNANIE ROZMOWY

– Jak myślisz...?

– (To) jest tak, że...
– Problem polega na tym, że...
– Słyszałem / słyszałam, że...
– Czytałem / czytałam, że...
– Ja na przykład...

2d Biorą Państwo udział w grze *Kto da więcej?*, w której lektor sprzedaje zdania.

W budżecie mają Państwo tylko sto złotych. Lektor czyta zdania po kolei. Proszę posłuchać zdań i zdecydować w grupie, czy są Państwo pewni, że zdanie jest poprawne oraz czy kupujecie to zdanie. Cena wywoławcza jednego zdania to pięć złotych.

- Jeśli kupią Państwo poprawne zdanie, np. za dwadzieścia złotych, mają Państwo o dwadzieścia złotych więcej.
- Jeśli zdecydują się Państwo kupić zdanie, które będzie niepoprawne, stracą Państwo tę kwotę. Wygrywa grupa, która zgromadzi najwięcej pieniędzy.

Dobra rada: jeśli nie są Państwo pewni, czy zdanie jest poprawne, proszę go nie kupować.

Cena wywoławcza jednego zdania to pięć złotych.

 2e Czy można uniknąć konfliktów w konkubinacie? Magda i Janusz wypowiadają się na ten temat. Słuchając nagrania, proszę odpowiedzieć na poniższe pytania. Nagranie zostanie odtworzone dwukrotnie.

CD 40

a) Na co Magda i Janusz wydają wspólne pieniądze?

....

b) Co opłacają rodzice?

....

c) Jaką sumę Magda i Janusz oszczędzają co miesiąc?

....

d) Ile lat mieszkają razem?

....

e) Za co płacą osobno?

....

f) Co ślub zmieni w ich życiu?

....

● Gramatyka

3a Proszę uzupełnić deklinację rzeczownika *pieniądz*, następnie uzupełnić zdania a – e odpowiednimi formami tego rzeczownika.

RZECZOWNIK *pieniądz*

	liczba pojedyncza	liczba mnoga
mianownik	pieniądz	pieniądze
dopełniacz	pieniądza	....
celownik	....	pieniądzom
biernik	pieniądz	....
narzędnik	....	....
miejscownik	....	o pieniądzach

a) Już prawie połowa klientów używa na co dzień kart kredytowych, nazywanych plastikowymi ....

b) Dlaczego wszyscy mówią o ....?

c) Kto powiedział, że .... rządzą światem?

d) Dzięki .... od sponsorów szpital może kupić nowy sprzęt medyczny.

e) Wszystko można kupić za ....?

3b Wypowiedzi pojedyncze. Proszę uważnie słuchać i zaznaczać właściwą odpowiedź. Nagranie będzie odtworzone tylko jeden raz.

CD 41

0. Ta wypowiedź jest możliwa:
   a) na ulicy,
   b) w sklepie,
   c) w toalecie.

1. Ta wypowiedź jest możliwa:
   a) w domu,
   b) na ulicy,
   c) u lekarza.

2. Ta wypowiedź jest możliwa:
   a) w szkole,
   b) w restauracji,
   c) w kantorze wymiany walut.

3. Ta wypowiedź jest możliwa:
   a) na plaży,
   b) w sklepie,
   c) w parku.

4. Ta wypowiedź jest możliwa:
   a) w księgarni,
   b) w sklepie mięsnym,
   c) w kiosku.

5. Ta wypowiedź to:
   a) informacja,
   b) protest,
   c) krytyka.

9

4a Proszę pracować z kolegą / koleżanką. Czy potrafią Państwo znaleźć związek między znaczeniem podanych niżej słów i znaczeniem słowa *pieniądz*?

Telewizja – firmy płacą pieniędzmi za reklamy w telewizji.

> *cena   dom   kieszonkowe   konkubinat   moda*
> *partia polityczna   podróże   praca   przyjaciele   sklep*

4b Proszę szybko przeczytać poniższe fragmenty artykułów, a następnie dopasować do nich tytuły.

1. **Drogie biuro**

2. ILE KOSZTUJE ZWIERZĘ?

3. **Palimy... pieniądze**

4. *Pieniądze w szafie*

a) Kupując codziennie paczkę papierosów, miesięcznie można wydać nawet kilkaset złotych.

b) Jeśli planujesz kupić psa lub kota, lepiej najpierw pomyśl, ile będzie cię to kosztować. Zwierzęta domowe to niemały wydatek.

c) Mimo bogatej oferty banków, część Polaków przyznaje, że woli trzymać pieniądze w domu.

d) Meble biurowe mogą być jedną z inwestycji firmy, jeśli zostaną zaprojektowane przez znanego projektanta.

4c Proszę wysłuchać fragmentu artykułu i uzupełnić brakujące elementy tekstu. Nagranie zostanie odtworzone dwukrotnie.

CD 42

Skąd ta cena? Za co płacimy i czego nie dostaniemy

Z czterdziestu milionów Polaków lata tylko .... procent. Dlatego tanie linie lotnicze chcą przekonać miliony ...., by zrezygnowali z pociągów, autokarów, promów i samochodów i korzystali z samolotów. Jesienią
5 proponują nie tylko .... ceny, ale na przykład weekendowe .... do europejskich stolic – wylot w piątek, powrót w niedzielę. Sprawdziliśmy, jak to działa. (...) Cena biletu to nie tylko cena za miejsce w samolocie, ale też za .... zasadniczy (15 – 20 kg) i podręczny (5 – 7 kg). Do samolotu
10 można też wziąć płaszcz, ..., aparat fotograficzny, kamerę wideo, książki i gazety. Za 45 – 160 zł także psa lub kota. W samolocie nie ma posiłków gratis, ale niektóre linie oferują .... napoje i przekąski. .... i herbata kosztuje zwykle około 2 euro, słodycze 1 euro, alkohol 4, piwo i kanapki
15 po 3. Darmowych gazet zwykle nie ma. (...)

4d Proszę na podstawie tekstu z ćwiczenia 4c napisać krótką informację prasową do magazynu „Pieniądze".

Tytuł:

....

Informacja: ....

....

....

....

....

....

5a Proszę z kolegą / koleżanką zastanowić się, jakie znaczenie mogą mieć poniższe wyrażenia.

- *mieć węża w kieszeni*
- *obiecywać złote góry*

5b Proszę z kolegą / koleżanką przeczytać na głos poniższe dialogi, a następnie sprawdzić, czy trafnie odgadli Państwo sens wyrażeń z ćwiczenia 5a.

1)

– Spotkałam wczoraj Krystynę.

– I co u niej?

– Jak zwykle narzeka, że ma za mało pieniędzy.

– Tak? Ale przecież ona i Rafał mają świetną pracę, dobrze zarabiają.

– Oczywiście, ale nigdzie nie wychodzą: ani do kina, ani do restauracji czy kawiarni. Ciągle oszczędzają. Moim zdaniem oni po prostu mają węża w kieszeni.

– Może masz rację. Ale ja ich rozumiem. Też nie lubię wydawać pieniędzy.

2)

– Byłeś w tej nowej firmie na rozmowie w sprawie pracy?

– Tak, ale chyba nic z tego nie będzie.

– Dlaczego? Przecież masz kwalifikacje i doświadczenie.

– Tak, ale ta firma chyba nie jest wiarygodna. Obiecują mi złote góry: świetne zarobki, komórkę i samochód, sekretarkę, płatny urlop. A sami nie mają porządnego biura.

5c Proszę zilustrować te wyrażenia:

mieć węża w kieszeni

obiecywać złote góry

Część C. Rozumienie tekstów pisanych

I Proszę zaznaczyć poprawną odpowiedź:

0. **MPK**

   Ten napis można spotkać:

   a) na banknocie,

   b) w dowodzie osobistym,

   c) na bilecie.

1. **PEKAO**

   Ten skrót oznacza:

   a) dworzec kolejowy,

   b) dworzec autobusowy,

   c) bank.

2. **Cennik usług**

   Ten napis można spotkać:

   a) w punkcie ksero,

   b) w sekretariacie szkoły,

   c) w teatrze.

3. **Kursy walut**

   Ten napis można spotkać:

   a) w barze,

   b) w pociągu,

   c) w kantorze wymiany walut.

4. **Opłata za jazdę bez ważnego biletu wynosi 90 zł**

   Ten napis można spotkać:

   a) w taksówce,

   b) w kinie,

   c) w autobusie.

5. **PLN**

   Ten skrót oznacza:

   a) złote,

   b) euro,

   c) franki.

6. **Po odejściu od kasy reklamacji nie uwzględnia się**

   Ten napis można spotkać:

   a) u fryzjera,

   b) w kinie,

   c) w sklepie.

7. **Sprzedaż biletów za odliczoną kwotę**

   Ten napis można spotkać:

   a) w kiosku,

   b) w tramwaju i autobusie,

   c) w kinie.

8. **Wpłaty i wypłaty**

   Ten napis można spotkać:

   a) w restauracji,

   b) na poczcie,

   c) w gazecie.

9. **Kasa do 10 artykułów**

   Ten napis można spotkać:

   a) na dworcu,

   b) na poczcie,

   c) w hipermarkecie.

10. **Sprzedaż ratalna**

    Ten napis można spotkać:

    a) w konsulacie,

    b) w sklepie meblowym,

    c) w szkole.

II **Po przeczytaniu fragmentów zamieszczonych poniżej tekstów, proszę zaznaczyć poprawną odpowiedź:**

0 Jeżeli złożysz wniosek o kredyt mieszkaniowy w terminie od
10.03.2008 roku do 10.05.2008 roku nie zapłacisz żadnych prowizji.

0. Ten tekst informuje, że:

  a) można wziąć kredyt na samochód.

  b) bank nie bierze prowizji za udzielenie kredytu.

  c) czas oferty jest niesprecyzowany.

1 Minister polityki społecznej powiedział, że renty i emerytury będą wyższe. Ale w wywiadzie dla
polskiej telewizji minister podkreślił, że musi to być realizowane stopniowo.

1. Ten tekst informuje, że:

  a) od następnego miesiąca wzrosną pensje.

  b) od następnego miesiąca wzrosną emerytury i renty.

  c) emerytury i renty wzrosną powoli.

2 Nowy prezes Banku powinien być nominowany w tym tygodniu – poinformował w piątek rzecz-
nik prasowy Banku. W piątek prezesem przestał być Teofil Kawowski, który złożył rezygnację.

2. Ten tekst informuje, że:

  a) zmieni się prezes banku.

  b) przez rok nie będzie prezesa.

  c) prezes Kawowski został dyrektorem.

3 Wybierz LOKUM DUO złotowo-dewizowy. To kredyt mieszkaniowy w dwóch walutach.
Tego jeszcze nie było na polskim rynku.

3. Ten tekst informuje, że:

  a) można tanio kupić mieszkanie za złotówki.

  b) od kilku lat na polskim rynku są takie kredyty.

  c) kredyt można spłacać w złotówkach i innej walucie.

4 Bank Profi przez pierwsze 3 miesiące tego roku zarobił 12 mld PLN. To najlepszy wynik
na rynku. A jeszcze 5 lat temu groziło mu bankructwo.

4. Ten tekst informuje, że:

  a) w zeszłym roku sytuacja finansowa banku była dobra.

  b) od początku tego roku sytuacja finansowa banku jest bardzo dobra.

  c) 5 lat temu sytuacja Profi SA była najlepsza.

5 Po wejściu Polski do Unii wzrosły ceny artykułów spożywczych. Najbardziej podrożało
mięso i niektóre importowane owoce i warzywa.

5. Ten tekst informuje, że:

  a) przed wejściem Polski do Unii wszystko było tanie.

  b) po wejściu Polski do Unii za wszystko trzeba płacić więcej.

  c) po wejściu Polski do Unii trzeba płacić więcej za niektóre produkty.

Odpowiedzi do quizu z ćwiczenia 1b:
1b, 2a, 3c, 4a, 5b, 6a, 7c, 8a, 9b, 10b

lekcja

10

Sytuacje komunikacyjne wyrażanie warunku i konse-kwencji

Słownictwo słownictwo ekonomiczne Idiomy: *pieniądze leżą na ulicy, gorączka złota*

Gramatyka i składnia Powtórzenie: zdania warunkowe: *jeśli masz, miałbyś, będziesz miał*

Część egzaminacyjna Część D. Pisanie (streszczenie)

Trochę ekonomii

1 Proszę zapytać kolegę / koleżankę, czy wie:

Słownictwo ●

- Ile wynosi inflacja w jego / jej kraju?
- Czy jest recesja?
- Czy jest bezrobocie – ile procent?
- Jaka jest sytuacja budżetowa?

2a Proszę znaleźć 12 słów związanych z ekonomią.↑↓→

A	N	H	A	N	D	E	L	A	K
T	P	R	O	D	U	K	C	J	A
P	R	Z	E	M	Y	S	Ł	C	J
O	Y	A	A	N	T	P	R	A	C
P	W	U	H	I	K	O	O	L	N
M	A	K	C	J	A	R	L	F	E
I	T	R	T	G	T	T	N	N	R
Z	Y	S	K	A	N	E	I	I	U
W	Z	R	C	U	O	Ż	C	L	K
W	A	E	E	F	K	D	T	S	N
D	C	E	N	A	P	U	W	S	O
A	J	G	F	Z	U	B	O	S	K
W	A	E	N	B	I	L	A	N	S

2b Proszę wpisać słowa z ćwiczenia 1 i 2a do diagramu. Czy znają Państwo też inne słowa związane z ekonomią? Proszę je również wpisać.

— ekonomia / gospodarka —

2c Proszę uzupełnić słowa pokrewne.

0. prywatny – *prywatyza*cja

1. konkurent – ....cja

2. państwo – ....owy

3. konsument – ....cja

4. rolnik – ....ctwo

5. eksport – ....ować

6. współpraca – ....ować

7. gospodarka – ....czy

8. bezrobotny – ....cie

2d Proszę przeczytać zdania, a następnie wybrać właściwe znaczenie poniższych wyrażeń frazeologicznych.

1. To nieprawda, że pieniądze leżą na ulicy. Na wszystko trzeba ciężko pracować.

a) każdy ma pieniądze

b) łatwo zdobyć pieniądze

c) można znaleźć pieniądze na ulicy

2. W XIX wieku na Alasce była gorączka złota.

a) było gorąco

b) była epidemia

c) ludzie szukali złota

• *pieniądze leżą na ulicy*

• *gorączka złota*

3a Proszę przeczytać poniższy tekst, a następnie wybrać właściwe informacje.

Pewien restaurator postanowił w Warszawie stworzyć alternatywę dla zagranicznych fast foodów – lokal z pierogami na telefon.

– Współcześnie ludzie nie mają czasu na godzinny lunch w restauracji, myślał Jacek Gorczykowski, planując otwarcie własnego interesu. (...) – A gdyby stworzyć zdrowy fast food? Szybko, tanio, smacznie, zdrowo i jeszcze z dowozem do domu czy biura?

Jak pomyślał, tak zrobił. Przy ul. Chłodnej w Warszawie założył „Pierrogerię”. Można tu zjeść na miejscu, ale firma oferuje głównie dania na wynos. I to nie zagraniczne wynalazki: pizzę, frytki, chińszczyznę czy hamburgery, ale oparte na staropolskim przepisie pierogi.

(...)

Pierogi powstają na 15 minut przed transportem. Wszystko świeże i bez konserwantów – mówi Gorczykowski.

Są tu tradycyjne pierogi z mięsem, z kapustą i z grzybami, ale i mniej banalne z soczewicą lub z boczkiem, z kutią albo ze śliwkami, z serami i ze szpinakiem, są też gigantyczne naleśniki (0,5 kg), zupy, sałatki, surówki sosy (...).

W ciągu kilku miesięcy „Pierrogeria” zdobyła stałych klientów. 80 proc. zamówień to te z firm, reszta to klienci prywatni. Dziennie mają od 100 do 200 zamówień, to oznacza, jak twierdzi właściciel, że interes idzie nieźle.

(...)

W ambitnych planach właściciela „Pierrogerii” jest stworzenie w Polsce mody na pierogi.

(...)

0. Nazwa firmy:

a) Fast food,

b) Pierrogeria,

c) Bar mleczny.

1. Adres firmy:

a) ul. Chłodnicza, Warszawa,

b) ul. Chłodna, Gdańsk,

c) ul. Chłodna, Warszawa.

2. Główna oferta firmy:

a) pizza, frytki,

b) chińszczyzna,

c) pierogi na telefon.

3. Inne dania:

a) małe naleśniki,

b) ogromne naleśniki,

c) staropolskie kotlety.

4. Główni klienci:

a) osoby prywatne,

b) przedszkola i szkoły,

c) firmy.

5. Sytuacja finansowa:

a) dobra,

b) zła.

6. Plany:

a) polska restauracja,

b) wykreowanie mody na pierogi,

c) ekspansja za granicę.

3b Jak Pan / Pani sądzi, o czym może być artykuł *Firma w kieszeni*? Proszę porozmawiać o tym z kolegami. Następnie proszę przeczytać ten artykuł i zaznaczyć, czy poniższe zdania są prawdziwe (P) czy nieprawdziwe (N).

Firma w kieszeni

Małe rodzinne firmy coraz częściej wykorzystują technologie XXI wieku. Nie trzeba mieć wielkich pieniędzy, ważniejszy jest dobry pomysł. (...)

Mariusz Surma z Wrocławia jeszcze do niedawna
5 pracował dla dużego polskiego banku, jednak zamienił to na własny, oryginalny biznes. Założył firmę „Trend" – pierwszą w kraju nowoczesną hurtownię biżuterii. Wcześniej było tak, że reprezentanci firmy podróżowali po kraju z biżuterią o wartości nawet
10 kilkudziesięciu tysięcy złotych. Dlatego właściciel „Trendu" miał inny pomysł. Każdy z jego ośmiu reprezentantów wozi ze sobą tylko jeden demonstracyjny komplet biżuterii i kieszonkowy komputer. Wpisuje zamówienie do komputera, a komputer
15 wysyła je do magazynu. Po kilku dniach do sklepu przyjeżdża kurier z paczką z „Trendu".

Mariusz Surma codziennie otrzymuje zamówienia od pracowników z kraju. – Na kieszonkowe komputery wydałem 40 tys. zł. Za to mniej płacę za ubezpie-
20 czenie, moi pracownicy odwiedzają dziennie dwa razy więcej sklepów. Zaoszczędziłem dwadzieścia razy tyle – mówi Surma. Eksperci przyznają, że ma rację.

„Polityka", 2004, nr 25

3c Czy zgadzają się Państwo z tezą artykułu, że w małej firmie ważniejsze są pomysły niż pieniądze? Proszę porozmawiać o tym w grupie.

3d Czy mają Państwo pomysł na firmę, w której na początek nie trzeba mieć pieniędzy? Jak można zarobić pierwsze pieniądze dla firmy? Proszę porozmawiać z kolegą / koleżanką.

0. W małych firmach ważniejszy jest pomysł niż pieniądze. Ⓟ N
1. Mariusz Surma teraz też pracuje dla banku. P / N
2. Reprezentanci „Trendu" dawniej jeździli po Polsce tylko z katalogami. P / N
3. Komputery w firmie pana Mariusza są bardzo ważne. P / N
4. Firma „Trend" bardzo dobrze prosperuje. P / N

4a Proszę wysłuchać dwóch informacji i uzupełnić brakujące fragmenty tekstów. Nagranie zostanie odtworzone dwukrotnie.

Ile ....*zarabiają*.... Polacy?

Przez lata transformacji Polacy zarabiali lepiej niż ...., ale w ostatnim czasie straciliśmy pozycję lidera. W połowie 2003 roku polski pracownik .... średnio 558 dolarów, tyle samo co Węgier, a .... 610 dolarów. Najwyższe płace są w Słowenii – dwa razy wyższe niż nasza średnia krajowa.

Kredyty studenckie

Do 15 .... można składać podania o kredyty studenckie. Mogą to robić studenci szkół publicznych i .... Pierwszeństwo mają osoby pochodzące z biedniejszych rodzin, w których dochód na osobę jest .... niż 1150 zł. Podania można składać w kilkunastu bankach w całym kraju.

„Polityka", 2003, nr 42

4b Proszę wysłuchać wywiadu radiowego z prezydentem miasta Janem Nowackim i wybrać właściwą odpowiedź.

1. W zeszłym roku zachodni inwestorzy byli zainteresowani regionem, więc

   a) to niedobrze.

   b) to dobrze.

   c) to jest niebezpieczne.

2. Jeżeli zachodnie duże firmy otworzą fabryki w regionie,

   a) bezrobocie się zmniejszy.

   b) bezrobocie się zwiększy.

   c) bezrobocie nie zmieni się.

3. Realizacja programu restrukturyzacji rolnictwa zależy od

   a) decyzji prezydenta.

   b) pieniędzy.

   c) polityków.

lekcja

10

4c Proszę porozmawiać w grupach i zdecydować, jak zachowają się Państwo w podobnych sytuacjach?

- Co robi Pan / Pani w sytuacji:
  - jeśli nie rozumie Pan / Pani ćwiczenia na lekcji?
  - jeśli pada deszcz, a Pan / Pani nie ma parasola?
  - jeśli jest Pan zdenerwowany / Pani zdenerwowana?
  - jeśli jest Pan szczęśliwy / Pani szczęśliwa?

- Co zrobiłby Pan / zrobiłaby Pani w sytuacji:
  - gdyby chciał Pan / chciała Pani zainwestować pieniądze?
  - gdyby był Pan / była Pani prezydentem swojego państwa?
  - gdyby miał Pan / miała Pani dużo wolnego czasu?
  - gdyby był Pan / była Pani bankrutem?

WYRAŻANIE WARUNKU I KONSEKWENCJI

jeśli, jeżeli, kiedy, jak	– **Jeśli** będzie ładna pogoda, pójdę na spacer do parku.
	– **Kiedy** jest ładna pogoda, zwykle chodzę na spacer do parku.
	– **Jeśli** masz jutro czas, przyjedź do mnie wieczorem.
gdyby / jeśliby..., ... -bym / -byś	– **Gdyby** była ładna pogoda, poszedł**bym** na spacer do parku.
	– **Gdybym** był bogaty, nie pracował**bym**.
więc	– Nie miałem czasu, **więc** nie poszedłem.
dlatego, że / ponieważ / bo	– Nie poszedłem **dlatego, że** nie miałem czasu.
i dlatego	– Nie poszedłem, **ponieważ** nie miałem czasu.
	– Nie miałem czasu **i dlatego** nie poszedłem.
pod warunkiem, że...	– Pójdę, ale **pod warunkiem, że**...
warunki	– Moje **warunki** są takie:...
to zależy	– **To zależy** od pana / pani / państwa / ciebie / was.
	– **To zależy** od tego, czy...

4d Pracując w małych grupach, proszę napisać odpowiedzi na poniższe pytania. Proszę użyć zwrotów z tabeli powyżej.

1. Dlaczego ludzie się śmieją?

   ....

2. Kiedy ludzie płaczą?

   ....

3. Dlaczego mleko jest białe?

   ....

4. Od czego zależy kariera w pracy?

   ....

5. Co Państwo zrobią, jeśli zobaczą czarnego kota na ulicy?

   ....

6. Kiedy / pod jakim warunkiem pomógłby Pan / pomogłaby Pani obcej osobie?

   ....

● Gramatyka

4e Proszę połączyć fragmenty z kolumn w logiczne zdania.

1. Gdyby firma zbankrutowała,
2. Jeśli nie masz pracy ani pieniędzy,
3. Eksport jest ważny,
4. Ceny rosną też dlatego,
5. Jeśli nic nie wiesz o spółkach akcyjnych,

a) ponieważ daje zyski.
b) że jest inflacja.
c) ludzie straciliby pracę.
d) nie graj na giełdzie.
e) lepiej nie kupuj nic na kredyt.

4f Proszę poprawić poniższe zdania, jeśli są w nich błędy.

0. Nie zrobił tego ~~dlaczego,~~ że nie wiedział jak. *bo / ponieważ / dlatego, że*

1. Zrobię to nad warunkiem, że mi pomożesz. ....

2. Gdybyś zrobiłbyś to wcześniej, teraz nie musiałbyś pracować. ....

3. Jeślibyście napisaliśmy ten list, moglibyście go dzisiaj wysłać. ....

4. Nie wiem jak to zrobić, bo więc nie mogę ci pomóc. ....

5. Wszystko zależy na ciebie. ....

5a Proszę przeczytać poniższy tekst i zaznaczyć najważniejsze, kluczowe informacje.

Polak nie, firma tak

Unia zamyka swoje rynki pracy przed indywidualnymi Polakami, ale otwiera je dla naszych przedsiębiorstw.

Rajmund Janczyk, przedsiębiorca z województwa opolskiego, od ośmiu lat prowadzi firmę, która w Niemczech i Austrii buduje domy i bloki. Interes idzie dobrze. A sekret sukcesów jest prosty. Do pracy przywozi z Polski własnych robotników, dzięki czemu jest o 30–40 proc. tańszy od niemieckich konkurentów. Janczyk zatrudnia teraz 50 osób,

10 ale szuka też nowych partnerów w Szwecji, Belgii i Irlandii. Wie, że po 1 maja może oferować usługi swojej firmy w całej Unii. – Zatrudnię do pracy co najmniej sto osób – mówi Janczyk.

W ten sposób pracę w krajach Unii mogą znaleźć robotnicy
15 różnych zawodów. Większość krajów Piętnastki ma minimum 2-letni zakaz pracy dla indywidualnych pracowników z Polski, ale nie dla firm z Polski zatrudniających Polaków. Np. we Francji już dziś polskie firmy malują statki w stoczniach. Ekipy z Polski zarabiają więcej niż w kraju, a i tak są
20 tańsze niż firmy miejscowe.

„Polityka", 2004, nr 15

5b Proszę porozmawiać z kolegą / koleżanką, co sądzi o informacjach zawartych w tekście *Polak nie, firma tak.*

5c Proszę w kilku zdaniach napisać streszczenie artykułu *Polak nie, firma tak* oraz dodać własny komentarz.

....

....

....

....

....

....

....

Część D. Pisanie

Co warto wiedzieć:

- Tekst powinien mieć 150 – 200 słów.
- Należy napisać tylko najważniejsze informacje (wcześniej warto je podkreślić w tekście).
- Należy pisać krótkimi zdaniami,
- Należy unikać używania sformułowań z tekstu, pisać własnymi słowami.
- Cytaty zapisywać w cudzysłowie.
- Na końcu należy dodać własny komentarz (*Moim zdaniem... / Sądzę, że... / Uważam, że...*).
- Proszę zostawić sobie trochę czasu na przeczytanie pracy i korektę błędów.

Oceniane są:

- Treść, długość, forma, kompozycja.
- Poprawność gramatyczna.
- Słownictwo.
- Styl.
- Ortografia i interpunkcja.

I Proszę zaznaczyć najważniejsze informacje z każdego paragrafu poniższego tekstu.

„Praca dla siebie, czyli lubimy franczyzę"

Jeszcze kilka lat temu prowadzenie biznesu na podstawie licencji zwanej franczyzą nie było w Polsce zbyt popularne. Teraz się to zmienia.

Wśród pierwszych marek, które zaczęły na tych zasadach inwestować na naszym rynku na początku lat 90., był McDonald's (światowy potentat rynku franczyzowego) i francuski koncern kosmetyczny Yves

5 Rocher. Wśród polskich firm znalazły się m.in. cukiernie A. Blikle, sklepy obuwnicze „U Szewczyka" oraz pijalnie i sklepy z kawą „Pożegnanie z Afryką". (...) Na polskim rynku działa obecnie ponad 70 firm franczyzowych, w których, by założyć swoją firmę, nie trzeba mieć więcej niż 50 tys. złotych. Należą do nich głównie placówki bankowe, a także firmy oferujące licencje na małe punkty handlowe i usługowe Z raportu, który przygotowała firma konsultingowa PROFIT System, wynika, że w ciągu ostatniego roku

10 w branży franczyzowej w Polsce padł kolejny rekord. Franczyzobiorcy zainwestowali w firmy ponad 1,1 mld złotych. Z raportu „O franchisingu i systemach agencyjnych w Polsce" wynika, że ok. połowa wszystkich franczyzobiorców zainwestowała w swoje placówki średnio 110 tys. złotych. (...)

Obecnie franczyza rozwija się w Polsce głównie w sektorze usług i handlu. Najpopularniejsze w tym segmencie są zdecydowanie sklepy odzieżowe (na podstawie franczyzowych umów licencyjnych działają

15 m.in. Reserved, House czy Cropp Town). (...) W handlu Polacy najchętniej otwierają sklepy spożywczo-przemysłowe (takim przykładem mogą być np. saloniki prasowe Kolporter). Dużą popularnością cieszą się też licencje na placówki z sektora bankowego. Na takie rozwiązanie banki decydują się z reguły w mniejszych miastach. (...)

Najtańszą na polskim rynku franczyzowym jest propozycja Niebieski Słoń. By rozpocząć „produkcję" per-

20 sonalizowanych książeczek dla dzieci, wystarczy zainwestować 3,5 tys. złotych. By natomiast zdobyć licencję na prywatną pocztę (np. PAF Operatora Pocztowego) trzeba zainwestować od ok. 40 do 250 tys. złotych. Podobnie jest z franczyzą bankową – od 25 do nawet 200 tys. złotych. (...) 350 tys. złotych – tyle należy zainwestować, by móc założyć supermarket spożywczy Intermarche. (...)

II Proszę streścić każdy paragraf w 2 – 3 zdaniach. Proszę – jeśli to możliwe – unikać sformułowań z tekstu.

....
....
....
....
....
....
....
....

III Proszę napisać własny komentarz do tekstu.

....
....
....
....
....
....
....
....
....
....
....
....
....
....
....
....
....
....
....
....
....
....
....
....

przygotowanie do egzaminu

lekcja

11

Sytuacje komunikacyjne wyrażanie ważności, obojętności i dystansu
Słownictwo Życie polityczne w Polsce
Gramatyka i składnia Odmiana rzeczownika *rząd*
Część egzaminacyjna Część D. Pisanie

Polityka? To mnie nie interesuje!

 1 Proszę przeczytać tytuły prasowe i odpowiedzieć na pytania zamieszczone pod nimi:

Prezydent musi być konsekwentny

 Związki zawodowe
a interesy pracowników

Kandydaci do Rady Europy

Porozumienie w sprawie rozbrojenia

10 najlepiej ubranych Polaków

Ranking polityków

Zieloni w ofensywie

Stres – cichy morderca

Gdzie spędzić Sylwestra?

Król Hiszpanii w Polsce

„Nie" dla nowej ustawy o biopaliwach

- Który z tytułów jest dla Pana / Pani najbardziej interesujący i dlaczego?
- Który tytuł nie interesuje Pana / Pani wcale? Dlaczego?
- Jakie gazety Pan / Pani kupuje? Dzienniki, tygodniki społeczno-polityczne, magazyny kolorowe?
- Czy czyta je Pan / Pani w całości, czy interesują Pana / Panią tylko wybrane tematy?
- Jaka tematyka jest Panu / Pani całkowicie obojętna?

WYRAŻANIE OBOJĘTNOŚCI I DYSTANSU

– Jest mi to obojętne.
– To nieważne.
– To nie mój problem.
– Mnie to nie interesuje.
– Wszystko mi jedno.

2a Zapytaliśmy Polaków, czy interesują się polityką. Proszę wysłuchać odpowiedzi i określić, dla której z pytanych osób polityka jest:

CD
45–48

a) interesująca,
b) nudna,
c) obojętna.

CD
45–48

2b Proszę wysłuchać dialogów jeszcze raz i odpowiedzieć:

- Kiedy ankietowane osoby zaczęły się interesować polityką?
- Czy był to jakiś szczególny moment?

	Osoba 1	Osoba 2	Osoba 3	Osoba 4
Czy interesuje się polityką?				
Kiedy i dlaczego zainteresował się / zainteresowała się polityką?				

● **Słownictwo**

3 Czy podane informacje są prawdziwe (P) czy nieprawdziwe (N)? Proszę porównać wyniki swojego minitestu z wynikami kolegów i koleżanek z grupy.

Moim zdaniem Sejm i Senat w Polsce są wybierane co cztery lata. Czy to prawda?

0. Sejm i Senat są wybierane co cztery lata.   Ⓟ / N
1. Sejm i Senat są wybierane w wyborach powszechnych.   P / N
2. Poseł jest wybierany do Senatu.   P / N
3. Senator to członek Senatu.   P / N
4. Wybory prezydenckie są organizowane co pięć lat.   P / N
5. Jeżeli Sejm zostanie rozwiązany, Senat może funkcjonować.   P / N
6. Ustawa przyjęta przez Sejm może być odrzucona przez Senat.   P / N
7. Ustawa przyjęta przez Sejm nie jest analizowana przez Senat.   P / N
8. Konstytucja jest nazywana Ustawą Zasadniczą.   P / N
9. Parlament jest władzą ustawodawczą.   P / N
10. Rząd i prezydent to władza wykonawcza.   P / N
11. Szef partii zostaje automatycznie premierem po wygraniu wyborów.   P / N
12. Koalicja i opozycja to jest to samo.   P / N

4 Proszę przestudiować poniższy schemat i odpowiedzieć na pytania poniżej:

lekcja

11

WŁADZA USTAWODAWCZA

SEJM
• uchwala ustawy

SENAT
• analizuje i przyjmuje ustawy przyjęte przez Sejm

WŁADZA WYKONAWCZA

PREZYDENT
• powołuje premiera
• ma prawo wetowania ustaw
• jest wybierany co pięć lat
• kontaktuje się z przedstawicielami innych państw

RZĄD
• kontroluje wykonanie ustaw

Sejm i Senat to polski Parlament. Poza uchwalaniem ustaw Sejm i Senat kontrolują pracę rządu. Wybory do Sejmu i Senatu są co cztery lata. Mężczyzna, który jest członkiem Sejmu, to poseł, kobieta to posłanka, członek Senatu to senator.

WŁADZA SĄDOWNICZA

SĄDY

TRYBUNAŁY

• Jakie urzędy odpowiadają w Pana / Pani kraju instytucjom polskim?
• Jaką władzę ma prezydent?
• Jaki jest system (ustrój) w Pana / Pani kraju? Demokracja, monarchia?
• Czy zna Pan / Pani jakiś kraj na świecie, gdzie jest dyktatura?
• Jaka partia sprawuje obecnie władzę w Pana / Pani kraju? Prawicowa czy lewicowa?

 5 Proszę połączyć termin z definicją.

a) organ władzy ustawodawczej, jego zadaniem jest analizowanie i akceptowanie ustaw uchwalonych przez sejm

b) ustawa główna

c) mają miejsce co cztery lata, pozwalają utworzyć nowy parlament i wybrać premiera

d) szef rządu

e) organ władzy wykonawczej

f) głowa państwa

g) jego elementarnym zadaniem jest uchwalanie ustaw

h) moja decyzja w wyborach

i) akt prawny uchwalany przez parlament

☐ prezydent

☐ premier

☐ sejm

☐ konstytucja

☐ ustawa

☐ wybory

☐ rząd

☐ senat

☐ głos

 6 Proszę połączyć w związki frazeologiczne słowa z obu kolumn:

1. uchwalić
2. głosować na
3. zawetować
4. zbudować
5. wybierać

a) kandydata prawicy
b) ustawę
c) koalicję
d) ustawę
e) kanclerza

Proszę napisać zdania z powyższymi parami wyrazów.

Prezydent zawetował ustawę o biopaliwach.

....

....

....

 **7a** Jakie są hasła wyborcze partii prawicowych i lewicowych? Co proponują w kwestii:

a) pracy i polityki socjalnej,

b) edukacji,

c) sytuacji kobiet,

d) przedsiębiorczości.

Który z tych punktów jest Pana / Pani zdaniem, dla nich ważny, a który obojętny?

7b Proszę przeczytać fragmenty wypowiedzi liderów dwóch partii politycznych i powiedzieć, który z fragmentów reprezentuje:

a) partię Zielonych 2004,

b) Platformę Obywatelską – liberałów.

Miejsca pracy tworzą przedsiębiorcy. Miejsca pracy powstają dzięki niskim podatkom. Niskie podatki dla wszystkich to więcej pieniędzy
5 w budżecie każdej polskiej rodziny. Niskie podatki to gwarancja, że przedsiębiorcom opłaci się inwestować w nowe miejsca pracy. Miejsca pracy tworzą przedsiębiorcy, a nie związki
10 zawodowe. W interesie pracowników i bezrobotnych leży taka zmiana kodeksu pracy, by w polskich firmach przybywało nowych miejsc pracy.

Ekolodzy będą walczyć o ochronę i wsparcie tradycyjnego rolnictwa, feministki o prawa kobiet, organizacje praw człowieka o prawa dla uchodźców
5 – ale wszystkich łączy jedno. Zawsze jest to obrona słabszej strony. Większość z nas wywodzi się ze środowisk, które aktywnie działają na rzecz spraw publicznych, a nie własnych grupowych interesów. Chcemy
10 demokracji. I sprawiedliwości (...)

W naszej partii nikt nie pyta o prywatne sfery życia: jaką masz orientację seksualną, jakiego jesteś wyznania.

(...) to partia ludzi odważnych, którzy
15 mówią, co myślą. Nie chodzi o to, aby to był ruch masowy. Chodzi o to, aby pewne nieakceptowane poglądy zaczęły być traktowane poważnie i znalazły swoje miejsce w debacie publicznej.

„Przekrój", 2003, nr 41

 7c W tekstach z poprzedniego ćwiczenia proszę podkreślić fragmenty, które jasno wskazują na to, że mówimy o partii Zielonych lub liberałach. Co przedstawione partie proponują w sprawie:

a) pracy i polityki socjalnej,

b) edukacji,

c) sytuacji kobiet,

d) przedsiębiorczości?

7d Proszę zapytać kolegę / koleżankę:

• Czy interesuje się polityką?

• Które z problemów przedstawionych we fragmentach programu partii Zielonych 2004 i Platformy Obywatelskiej są dla niego / niej ważne, a które są mu / jej obojętne?

• Czy o sympatii dla opcji politycznej decyduje:
  – wiek,
  – wykształcenie,
  – sytuacja materialna,
  – wyznanie / światopogląd,
  – orientacja seksualna,
  – inne czynniki, jakie?

7e Proszę przeanalizować w grupie odpowiedzi kolegów / koleżanek i zrobić podsumowanie.

70 % grupy interesuje się polityką.

Problemy przedstawione w programach partii są dla nich ważne, bo...

Są też postulaty całkowicie obojętne, ponieważ...

Ich zdaniem o sympatii dla opcji politycznej decydują takie czynniki jak...

Gramatyka

rząd – organ władzy wykonawczej, kierujący całym aparatem administracji rządowej i zapewniający jednolitość jego działania.

rząd – szereg, ciąg.

	liczba pojedyncza	liczba mnoga	liczba pojedyncza	liczba mnoga
mianownik	rząd	rządy	rząd	rzędy
dopełniacz	rządu	rządów	rzędu	rzędów
celownik	rządowi	rządom	rzędowi	rzędom
biernik	rząd	rządy	rząd	rzędy
narzędnik	rządem	rządami	rzędem	rzędami
miejscownik	rządzie	rządach	rzędzie	rzędach

8 Proszę wstawić właściwą formę rzeczownika *rząd*:

0. Szef ..*rządu*... był z wizytą na Węgrzech.

1. Kupiłem bilety do kina. .... czwarty, miejsce drugie. Między .... jest dużo miejsca, można swobodnie przechodzić. W drugim .... zauważyłem kolegę. Siedział z dziewczyną. Postanowiłem zmienić miejsce, bo z mojego .... nie było nic widać. Niestety we wszystkich .... najlepsze miejsca były zajęte.

2. Wizyta szefa .... była bardzo udana, mimo że .... ma wielu przeciwników. Przeciw .... występuje opozycja, która uważa, że premier powinien podać się do dymisji. Reprezentanci innych .... nie mogą jednak dyskutować na ten temat, a więc debata w .... niemieckim nie mogła mieć miejsca.

Część D. Pisanie

I **Proszę wybrać jeden z zestawów i wykonać oba polecenia.**

Zestaw 1

1. Proszę napisać ogłoszenie o wyborach do samorządu studenckiego. (20 słów)

2. Proszę napisać list do kolegi, który przebywa za granicą. Interesuje się polityką i chciałby wiedzieć, jak wygląda sytuacja przed wyborami do parlamentu. Która partia prowadzi w statystykach, co sądzą o tym Wasi znajomi. Chce również poznać Twoje zdanie na ten temat. (180 słów)

Zestaw 2

1. Proszę napisać zaproszenie na spotkanie z posłem X. (20 słów)

2. Proszę napisać tekst argumentacyjny na temat: Każdy obywatel powinien brać udział w wyborach. (180 słów)

Zestaw 3

1. Proszę napisać kartkę z gratulacjami do kolegi, który został przedstawicielem studentów na uniwersytecie. (20 słów)

2. Proszę wyrazić opinię na temat następującego stwierdzenia: Nie interesuje mnie polityka. W telewizji oglądam tylko filmy dokumentalne i programy muzyczne. (180 słów)

lekcja

12

Sytuacje komunikacyjne dyskutowanie: przebieg rozmowy (cd.), wyrażanie opinii
Słownictwo równouprawnienie, dyskryminacja
Gramatyka i składnia powtórzenia nazw państw w dopełniaczu
Część egzaminacyjna Część E. Mówienie

Mam do tego prawo!

1 Proszę uzupełnić fragment Konstytucji Rzeczpospolitej Polskiej podanymi słowami.

> pracę   przyczyny   √wszyscy   zatrudnienia   nikt
> społecznym   równe   prawo

Artykuł 32

1. ...*Wszyscy*... są wobec prawa równi. Wszyscy mają .... do równego traktowania przez władze publiczne.

2. .... nie może być dyskryminowany w życiu politycznym, społecznym lub gospodarczym z jakiejkolwiek ....

Artykuł 33

1. Kobieta i mężczyzna w Rzeczypospolitej Polskiej mają .... prawa w życiu rodzinnym, politycznym, ... i gospodarczym.

2. Kobieta i mężczyzna mają w szczególności równe prawa do kształcenia, ... i awansów, do jednakowego wynagradzania za .... o jednakowej wartości, do zabezpieczenia społecznego oraz do zajmowania stanowisk, pełnienia funkcji oraz uzyskiwania godności publicznych i odznaczeń.

2 Proszę porozmawiać z kolegami na poniższe tematy.

- Proszę podać kilka powodów dyskryminowania ludzi.
- Czy naprawdę wszyscy mają równe prawa? Czy są grupy ludzi, które mają mniejsze prawa? Jakie i dlaczego?
- Czy są ludzie, którzy nie mogą korzystać ze wszystkich praw? Jeśli tak, to jakie to grupy i dlaczego nie korzystają z tych praw?
- Proszę spróbować zdefiniować trzy z podanych słów: *rasizm, seksizm, szowinizm, homofobia, feminizm.*

3 Poniżej podano zwroty typowe dla dyskusji. Proszę dopasować poniższe określenia do odpowiedniej rubryki w tabeli.

> *NEGACJA   WYJAŚNIANIE*
> *WYRAŻANIE OPINII*
> *KONIEC DYSKUSJI   PRZYTAKIWANIE*
> *POCZĄTEK DYSKUSJI*

lekcja
12

– Chciałbym / chciałabym coś powiedzieć.
– Czy mogę coś powiedzieć?

– Moim zdaniem....
– Według mnie...

PROŚBA O WYJAŚNIENIE

– Co chcesz przez to powiedzieć?
– Co chce pan / pani przez to powiedzieć?

– Nie wiem, czy dobrze zrozumiałam / zrozumiałem.
– Chodzi ci / panu / pani o to, że...?

– Co masz na myśli?
– Co ma pan / pani na myśli?
– Dlaczego?

– Czy według ciebie / pana / pani...?

– Chodzi mi o to, że...
– Chcę tylko powiedzieć, że....

KONTROLA DYSKUSJI

– Rozumiesz, o co mi chodzi?
– Rozumie pan / pani, o co mi chodzi?

– Chwileczkę, chciałbym / chciałabym dokończyć.

– Rzeczywiście!
– To prawda!
– No właśnie!

– Ależ skąd!
– Nic podobnego!
– To przesada!
– Bzdura!

– To wszystko, co chciałem / chciałam na ten temat powiedzieć.

4 Proszę połączyć zdania 2 – 5 ze zdaniami a – d tak, żeby stworzyły minidialogi.

1. Czy mogę coś powiedzieć?
2. Rozumiesz, o co mi chodzi?
3. Co chcesz przez to powiedzieć?
4. Według mnie to bzdura!
5. Czy według Ciebie to prawda?

a) Ależ skąd! To przesada!
b) Chcę tylko powiedzieć, że to bzdura.
c) Dlaczego?
d) Nie, co masz na myśli?
e) Chwileczkę, chciałbym dokończyć.

 5 Proszę przeczytać wyniki ankiety przeprowadzonej przez portal internetowy i porozmawiać z kolegą / koleżanką na podane poniżej tematy, używając zwrotów typowych dla dyskusji.

Oto wyniki ankiety przeprowadzonej przez portal Interia.
Zadano pytanie:

Jaki jest Twój stosunek do homoseksualistów?

■	Wszystko dobrze, dopóki nie próbują mnie podrywać.	21%
■	Nie przeszkadzają mi.	19%
■	Nienawidzę ich.	14%
■	Są takimi samymi ludźmi jak heteroseksualiści.	13%
■	Nie znam żadnego homoseksualisty.	11%
■	Są mi obojętni.	11%
■	W porządku, o ile nie chodzi o księży.	7%
■	Jestem gejem / lesbijką.	3%
■	Bardzo ich lubię.	1%

- Takie ankiety nie mają sensu, tylko utrwalają już istniejące stereotypy.
- Takie ankiety są bardzo ważne, ponieważ więcej ludzi zaczyna myśleć o tolerancji.
- Nikt nie powinien interesować się prywatnym życiem innych ludzi.
- Osoby, które pracują z dziećmi lub w instytucjach kościelnych czy edukacyjnych, powinny być heteroseksualne.
- Zamknięte kluby i dyskoteki „tylko dla homoseksualistów" tworzą getta i podziały. Takie izolowanie się homoseksualistów jest bez sensu.
- Homoseksualiści nie powinni ukrywać swojej orientacji seksualnej.

● Gramatyka

6a **Proszę przeczytać dane statystyczne według wzoru.**

W Polsce mieszkają dwa miliony obywateli Niemiec.

W Polsce mieszka około dwóch milionów obywateli Niemiec.

Biorąc pod uwagę szacunki działaczy społecznych (...), zauważa się, że w Polsce zamieszkuje około:

1 – 3 mln Niemców

500 tys. – 2 mln Ukraińców

500 tys. – 1 mln Białorusinów

30 – 50 tys. Cyganów

25 – 40 tys. Czechów

25 – 40 tys. Litwinów

25 – 40 tys. Słowaków

20 – 30 tys. Łemków

20 – 30 tys. Rosjan

15 – 20 tys. Ormian

10 – 30 tys. Żydów

6 – 10 tys. Greków

6 – 10 tys. Macedończyków

4 – 5 tys. Tatarów

1 – 2 tys. Węgrów

200 – 1000 Karaimów

W Polsce mieszkają też przedstawiciele wielu innych państw europejskich, afrykańskich, azjatyckich i amerykańskich. W ostatnich latach obserwuje się coraz więcej przedstawicieli różnych narodów ubiegających się o azyl polityczny w Polsce. Rocznie o azyl ubiega się około dwóch tysięcy osób. Wśród nich najwięcej było przedstawicieli Armenii, Indii, Rosji, Afganistanu, Somalii, Sri Lanki, Iraku, Algierii i Pakistanu. W mozaice narodowości wyraźnie zaznacza się obecność Włochów, Francuzów, Holendrów, Duńczyków, Szwedów oraz przedstawicieli różnych narodów byłego Związku Radzieckiego (Azerbejdżan, Gruzinów, Łotyszy, Kazachów).

www.bezuprzedzen.pl

 6b **Proszę odpowiedzieć na pytania.**

* Obywatele jakich państw mieszkają w Pana / Pani kraju?
* Czy są dyskryminowani?
* Jak są przedstawiani w mediach?

 7 **Proszę porozmawiać z kolegami i koleżankami z grupy na kilka z zaproponowanych poniżej tematów, używając typowych dla dyskusji zwrotów. W których stwierdzeniach można znaleźć przejawy dyskryminacji?**

Stwierdzenie, że... jest przejawem dyskryminacji, bo według mnie...

* Obcokrajowcy mieszkający w jakimś kraju koniecznie powinni znać jego język.
* Obcokrajowcy nie powinni znajdować się w jakimś kraju w celach innych niż turystyczne.
* Najpierw trzeba poznać kulturę jakiegoś kraju, a potem dopiero można w nim zamieszkać.
* Każdy powinien mieszkać tam, gdzie się urodził.
* Każdy powinien móc podróżować i mieszkać tam, gdzie ma ochotę.
* Rodowici obywatele jakiegoś kraju powinni mieć pierwszeństwo, jeśli chodzi o pracę na pełnym etacie, obcokrajowcy powinni znajdować się na drugim miejscu.

lekcja **12**

8a Proszę wysłuchać pierwszego fragmentu audycji radiowej i odpowiedzieć na dwa pytania.

CD 49

- Kiedy pojawiła się inicjatywa ustanowienia Europejskiego Roku Osób Niepełnosprawnych?
- Co jest głównym celem Europejskiego Roku Osób Niepełnosprawnych?

8b Proszę wysłuchać drugiego fragmentu audycji radiowej i uzupełnić brakujące części tekstu.

CD 50

Obchody Roku Niepełnosprawnych pod honorowym patronatem Prezydenta Rzeczypospolitej Polskiej rozpoczął uroczysty koncert, który odbył się *2 grudnia 2002 roku* w Filharmonii Narodowej w Warszawie. Telewizja Polska S.A. jako patron medialny jest jedną z instytucji zaangażowanych
5 w obchody Europejskiego Roku Osób Niepełnosprawnych.

– Byliśmy i jesteśmy patronem medialnym wielu ważnych przedsięwzięć społecznych, uważamy to za swój .... Tym razem jesteśmy współorganizatorem jednego z nich. To niecodzienna rola dla stacji telewizyjnej. Ważny jest tu cel obchodów, którym jest pozytywna i trwała zmiana
10 w myśleniu o integracji społecznej osób niepełnosprawnych. Wierzę, że ...., potencjał i zaangażowanie telewizji publicznej przyczynią się do sukcesu tego projektu.

www.marfan.pl

W nadchodzącym roku przypada 10. rocznica przyjęcia przez Organizację Narodów Zjednoczonych (ONZ) Zasad Wyrównywania .... Osób Niepełnosprawnych, których na świecie żyje około pół miliarda. W Polsce jest ich .... Rada Unii Europejskiej
5 postawiła społeczności europejskiej na 2003 rok następujące cele:

- podniesienie świadomości prawnej osób niepełnosprawnych,
- obrona przed ....,
- pełne korzystanie ze swoich praw,
- promowanie równych szans w życiu ....,
10 - wybieranie pozytywnych działań na rzecz niepełnosprawnych,
- promowanie pozytywnego wizerunku osób niepełnosprawnych,
- prawo do .... i dostępności w edukacji,
- współpraca niepełnosprawnych z rządami, organizacjami społecznymi, prywatnymi i wolontariuszami,
15 - ważna rola .... w propagowaniu idei integracji społecznej,
- współpraca między państwami europejskimi.

Proponuje się nową wizję niepełnosprawności, w której osoby niepełnosprawne są niezależnymi ...., w pełni zintegrowanymi ze społecznością. Chodzi o wyrównywanie ich szans w społeczeństwie.
20 Ważne są inicjatywy, które pomogą przełamać lęk i strach w kontaktach z ludźmi sprawnymi, a także likwidować dyskryminację i nietolerancję .... niepełnosprawności.

www.tvp.pl/news

lekcja
12

9a Proszę zastąpić polskim synonimem podkreślone słowa zgodnie z podanym przykładem.

Filip Jasiński
Karta Praw Podstawowych Unii Europejskiej
Dom Wydawniczy ABC, Warszawa 2003
ISBN: 83-7284-559-X, 356 stron

Książka <u>jest adresowana do</u> prawników, badaczy problematyki ochrony praw człowieka, specjalistów z zakresu integracji europejskiej oraz stosunków międzynarodowych. <u>Przedstawia</u> proces opracowywania Karty Praw Podstawowych Unii Europejskiej uroczyście przyjętej na szczycie Rady Europejskiej w grudniu 2000 roku w Nicei, a także krytycznie omawia funkcjonowanie unijnego systemu ochrony praw człowieka w UE. <u>Opisuje</u> wcześniejsze próby utworzenia katalogów praw człowieka w ramach Wspólnot Europejskich z uwzględnieniem aspektu konstytucjonalizacji porządku prawnego Unii oraz współpracy międzyinstytucjonalnej w tym zakresie. <u>Wskazuje na</u> wpływ Karty Praw Podstawowych na codzienne funkcjonowanie Unii

15 Europejskiej, a także <u>zwraca uwagę</u> na znaczenie tego dokumentu dla rozszerzenia UE oraz jej relacji z Radą Europy. Publikacja <u>zawiera</u> ponadto bogatą bibliografię, szereg odniesień do orzecznictwa Trybunału Sprawiedliwości Wspólnot Europejskich i aktualnego stanu europejskiego prawa wspólnotowego.

20 Adresaci: prawnicy, studenci, pracownicy urzędów państwowych, wszystkie osoby zainteresowane UE.

jest adresowana do – jest skierowana do ....

....

....

....

....

9b Proszę przeczytać opis książki i zaznaczyć, czy poniższe stwierdzenia są prawdziwe (P) czy nieprawdziwe (N).

1. Książka jest adresowana tylko do ludzi, którzy interesują się Unią Europejską.   P / N

2. Książka została napisana w grudniu 2000 roku.   P / N

3. Szczyt Rady Europejskiej odbył się w roku 2003 w Nicei.   P / N

4. Książka wskazuje na to, jak Karta Praw Podstawowych wpływa na funkcjonowanie UE.   P / N

5. Autor przedstawia listę książek o podobnej tematyce.   P / N

10 Proszę pisemnie (100 – 150 słów) ustosunkować się do poniższego stwierdzenia z Deklaracji Konferencji ONZ, która odbyła się w Wiedniu w 1993 roku.

RÓWNOUPRAWNIENIE KOBIET I MĘŻCZYZN JEST WARUNKIEM DEMOKRACJI.

Proszę użyć następujących zwrotów: ....

....

....

z jednej strony... ....

z drugiej strony...
moim zdaniem... ....

(nie) zgadzam się z tym, że...
dlatego, że... ....

mieć prawo do...
być dyskryminowanym ....

....

....

....

Część E. Mówienie

 Proszę przeczytać opis filmu i dodać swój komentarz. Może oglądał Pan / oglądała Pani film lub czytał Pan / czytała Pani książkę albo artykuł o podobnej tematyce? W swojej wypowiedzi proszę użyć następujących zwrotów:

W artykule czytamy o...

Ostatnio czytałem / czytałam / oglądałem / oglądałam...

Autor / autorka artykułu pisze, że...

Słyszałem / słyszałam też, że...

Według autora, autorki...

Według mnie...

◼ O filmie *Tato*

Michał pracuje w branży filmowej jako operator kamery. Pewnego dnia otrzymuje propozycję pracy za granicą przy realizacji nowego filmu. Po powrocie do domu o otrzymanej propozycji informuje żonę Ewę. Ta jednak niespodziewanie (...) wybiega z domu, wołając o pomoc. Sąsiedzi wzywają policję. Ewa mówi, iż pobił ją mąż. (...) Ewa odchodzi od
5 męża, zabierając ze sobą córkę Kasię. Michał po odejściu żony znajduje w szufladzie jej recepty na leki psychotropowe, świadczące o jej częstych wizytach w poradni psychiatrycznej. (...) Wkrótce Ewa składa w sądzie pozew rozwodowy. Michał angażuje w sprawę panią adwokat, od której oczekuje, że pomoże mu uzyskać prawo do opieki nad dzieckiem. Niestety, pomimo udowodnienia w sądzie, iż Ewa wymaga leczenia psychiatryczne-
10 go, Kasia zostaje przekazana pod jej opiekę. Michał nie zgadzając się z wyrokiem sądu, odbiera żonie dziecko z zamiarem dalszej walki o opiekę nad nim. (...) Czy ojciec uzyska prawo do opieki nad dzieckiem?

Wzruszająca opowieść o walce ojca o prawa do opieki nad własnym dzieckiem. Świetna obsada, doskonała rola Bogusława Lindy i Doroty Segdy. Warto obejrzeć.

www.film.onet.pl

II Proszę wyrazić swoją opinię (z krótkim uzasadnieniem) na wybrany temat:

1. Pary homoseksualne powinny mieć prawo do adopcji dzieci.

2. W instytucjach państwowych (np. na uniwersytecie) powinna pracować taka sama liczba kobiet i mężczyzn.

3. Niepełnosprawni powinni mieć dobry dostęp do edukacji.

III Proszę wybrać jeden z przedstawionych poniżej tematów, przygotować, a następnie wygłosić krótkie przemówienie skierowane do grupy słuchaczy. Proszę wykorzystać kilka z podanych zwrotów:

PRZEMÓWIENIE

– Szanowni Państwo! / Szanowne Panie, Szanowni Panowie!
– Na wstępie chciałbym / chciałabym powiedzieć, że...
– Ważny jest również fakt, że...
– Nie możemy zapomnieć o tym, że...
– Po pierwsze...
– Po drugie...
– Z jednej strony...., ale z drugiej strony...
– Zatem...
– Trzeba podkreślić, że...
– Na koniec chciałbym / chciałabym jeszcze raz powiedzieć...

1. Nikt nie może być niczyim niewolnikiem.
2. Nie wolno ingerować w niczyje życie prywatne, rodzinne, domowe ani w jego korespondencję. Każdy człowiek ma prawo do prywatności.
3. Rodzina jest najważniejszą i podstawową komórką społeczeństwa.
4. Matka i dziecko mają prawo do specjalnej opieki i pomocy. Wszystkie dzieci, zarówno małżeńskie, jak i pozamałżeńskie powinny mieć takie same prawa.

Artykuł 4, 12, 16 i 25 Powszechnej Deklaracji Praw Człowieka, (ONZ, 10 grudnia 1948 r.)

IV Proszę zapoznać się z danymi statystycznymi i przeprowadzić z kolegą / koleżanką minidyskusję na temat „Kobiety w wojsku". Jedna osoba jest „za", druga „przeciw".

KOBIETY W WOJSKU – POLACY SĄ „ZA"

W roku akademickim 1999/2000 kobiety uzyskały dostęp do szkół wojskowych. W związku z tym Centrum Badania Opinii Społecznej przeprowadziło w styczniu 2000 roku sondaż wśród Polaków, pytając ich, co sądzą o pełnieniu przez kobiety zawodowej służby wojskowej.

- 74% ankietowanych akceptuje pełnienie przez kobiety zawodowej służby wojskowej,

- 20% ankietowanych (czyli co piąty badany) jest temu przeciwne.

- 39% badanych uważa, że kobiety powinny służyć tylko w niektórych formacjach np. służbach medycznych, (...) itp.

- 20% badanych (czyli co piąty badany) jest za dopuszczeniem kobiet do służby wojskowej, ale uważa, że nie powinny brać bezpośredniego udziału w walce, to znaczy nie powinny mieć kontaktu bojowego z nieprzyjacielem.

Badania CBOS, styczeń 2000

lekcja

13

Sytuacje komunikacyjne przebieg rozmowy (cd.): m.in. wzywanie do mówienia, relacjonowanie

Słownictwo wypadki Idiomy: *na wszelki wypadek, wypadek przy pracy, w żadnym wypadku, przez przypadek, od przypadku do przypadku*

Gramatyka i składnia Powtórzenie: mowa zależna – rozwinięcie, odmiana zaimków nieokreślonych i zaimków pytajnych

Część egzaminacyjna Część D. Pisanie

W żadnym wypadku!

Słownictwo

1 Proszę dopasować rysunki do poniższych zdań.

- [ ] Ratunku! Pali się! Pożar!
- [ ] No nie, zalało nam mieszkanie!
- [ ] Chyba złamałem rękę.
- [ ] Uważaj!
- [ ] Co się stało? Pomóc panu? Mam zadzwonić po pogotowie?
- [ ] Winda znowu nie działa?
- [ ] Słabo mi, zaraz zemdleję.
- [ ] Chciałem poinformować o wypadku samochodowym.
- [ ] Czuję coś dziwnego, chyba się gaz ulatnia.
- [ ] Zobacz, pies Baranowskich wpadł pod samochód!

2 Proszę połączyć zdania (1 – 11) z nazwami odpowiednich służb (a – k). Uwaga! Czasem jest więcej poprawnych odpowiedzi, a nazwy niektórych służb można wykorzystać kilkakrotnie.

Kiedy...	pomoże...

1. ... pali się...

2. ... był wypadek samochodowy...

3. ... kaloryfer nie grzeje...

4. ... nie ma wody...

5. ... nie ma prądu...

6. ... gaz się ulatnia...

7. ... ktoś zemdlał...

8. ... dwie osoby biją się na ulicy...

9. ... winda się zepsuła...

10. ... telefon nie odpowiada albo jest ciągle zajęty...

11. ... ktoś wpadł pod samochód...

a) pogotowie ratunkowe.

b) policja.

c) straż miejska.

d) straż pożarna.

e) pogotowie gazowe.

f) pogotowie energetyczne.

g) pogotowie centralnego ogrzewania.

h) pogotowie wodociągowe.

i) pogotowie dźwigowe.

j) pomoc drogowa.

k) biuro napraw.

3 Proszę porozmawiać z kolegą / koleżanką o wypadkach, które się Panu / Pani przytrafiły. Oto pytania, które mogą sobie Państwo wzajemnie zadać:

1. Czy byłeś / byłaś kiedyś świadkiem jakiegoś wypadku?

2. Czy Tobie lub Twojemu znajomemu, komuś z Twojej rodziny zalało kiedyś mieszkanie?

3. Czy ubezpieczasz mieszkanie? Od czego? Od zalania, włamania, pożaru?

4. Czy złamałeś / złamałaś kiedyś rękę albo nogę?

5. Czy kiedyś zemdlałeś / zemdlałaś? W jakiej sytuacji?

6. Czy spadłeś / spadłaś kiedyś ze schodów?

7. Czy dzwoniłeś / dzwoniłaś kiedyś za granicą po pogotowie / policję / straż pożarną? Kiedy? W jakiej sytuacji? Czy sprawiło Ci to jakieś problemy?

Gramatyka

4 Proszę wysłuchać dialogów i wpisać brakujące słowa.

CD 51–52

Dialog 1

– Proszę pana!

– Jezus Maria! Co się panu ....?

– Spadłem ze schodów. O Boże, chyba .... nogę. Strasznie mnie boli.

– .... panu? Co mam zrobić?

– Proszę zadzwonić po .... Zna pan numer?

– Tak, 999. Już dzwonię, niech pan się nie .... Wszystko będzie dobrze.

– Dziękuję panu bardzo.

Dialog 2

– Panie doktorze, chyba złamałem nogę.

– No ...., jak to się stało?

– Spadłem ze schodów.

– Musimy najpierw .... zdjęcie rentgenowskie.

– Panie doktorze, ... wszystko będzie dobrze?

– Tak, niech się pan nie denerwuje, zrobimy rentgen i .... zobaczymy dokładnie, co to jest. Aha, jeszcze jedna ważna rzecz – jest pan ...., prawda?

– Tak, tak, oczywiście.

5 Proszę uzupełnić zgodnie z faktami z powyższych dialogów.

Dialog 1

Pierwszy mężczyzna zapytał drugiego, co .... się stało. Drugi odpowiedział, że .... ze schodów. Dodał też, że chyba .... nogę. Powiedział, że noga strasznie .... boli. Pierwszy mężczyzna zapytał, czy .... Wtedy drugi poprosił, żeby pierwszy .... po pogotowie. Zapytał również, czy .... numer. Pierwszy poprosił, żeby drugi się .... Zapewnił również, że .... dobrze.

Dialog 2

Pacjent powiedział lekarzowi, że chyba .... nogę. Lekarz zapytał ...., jak .... Pacjent odpowiedział, że .... ze schodów. Lekarz poinformował pacjenta, że .... najpierw zrobić rentgen. Pacjent zapytał go, czy .... Lekarz zapewnił, że tak i powiedział pacjentowi, żeby .... Zapytał go również, czy ....

6 **Oto przebieg pewnego wypadku. Proszę ustalić chronologiczną kolejność wydarzeń.**

0	Kierowca toyoty jechał stosunkowo szybko.
	Kierowca toyoty nie zauważył znaku „stop",
	Kierowca poloneza zahamował, ale
2	W tym samym czasie do skrzyżowania podjeżdżał polonez.
	Ktoś zobaczył dwa samochody na środku skrzyżowania i kierowców, którzy rozmawiali ze sobą. Szybko zadzwonił po policję i pogotowie,
6	było już za późno, bo toyota była na środku skrzyżowania.
	nie zatrzymał się i wjechał na skrzyżowanie.
	Poza tym nikomu nic się nie stało.
	Polonez uderzył w prawe przednie drzwi toyoty.
	Toyota podjechała do skrzyżowania.
	który również wysiadł z samochodu.
	karetka zabrała pasażera toyoty, który miał złamaną rękę.
8	Kierowca toyoty od razu wysiadł z samochodu i poszedł do kierowcy poloneza,

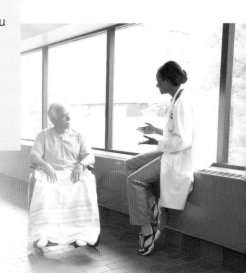

 7 **Posługując się poniższymi zwrotami, proszę przygotować z kolegą / koleżanką scenkę. Jedna osoba jest policjantem, a druga uczestnikiem lub świadkiem zdarzenia. Policjant pyta o przebieg wypadku, a uczestnik lub świadek go relacjonuje.**

ZADAWANIE PYTANIA

– Chciałem / chciałam zapytać,...
– Czy wie pan / pani,... **czy... / gdzie... / kiedy... / kto... / dlaczego... / jak... / po co...?**

– Proszę mi powiedzieć,...
– Przepraszam, że przerywam, ale muszę zapytać...

– Czy to prawda, że...
– Jak to możliwe?
– Co się stało?
– I to wszystko?
– Proszę mówić dalej.

RELACJONOWANIE WYPOWIEDZI

... powiedział / powiedziała, że...
... zapytał / zapytała, czy / kto / kiedy / gdzie...

– Powiedziałem / powiedziałam mu, że...
– Chciał / chciała, żeby mu / jej pomóc.
– Prosił / prosiła, żeby...

– Chciałbym / chciałabym coś dodać.
– To jeszcze nie wszystko.
– Nic więcej nie wiem.

- na (samym) początku
- najpierw
- potem
- później
- nagle
- na (samym) końcu

PROŚBA O POWTÓRZENIE

– Przepraszam, ale nie usłyszałem / usłyszałam.
– Czy może pan / pani powtórzyć?
– Czy może pan / pani mówić trochę głośniej / wolniej?
– Przepraszam, ale nie wszystko zrozumiałem / zrozumiałam.

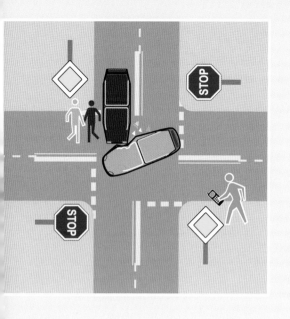

Idiomy

 8 Proszę przeczytać definicje słownikowe i uzupełnić poniższe zdania słowami lub zwrotami występującymi w definicjach.

Słownictwo • • •

przypadek, **-u I** – zbieg okoliczności, traf, los: *Przypadek sprawił, że odnalazłem drogę. Przypadek chciał, że akurat była ładna pogoda.*

przypadek, **-a II** – kategoria gramatyczna określająca składniową funkcję rzeczownika, przymiotnika oraz zaimków, np. mianownik, dopełniacz, itd.:

przypadkiem, **przez przypadek**, **przypadkowo** – w sposób nieplanowany przez nikogo. *Przypadkiem uniknąłem zderzenia. Nie widziałeś przez przypadek moich okularów? Spotkałem go przypadkowo. Zgubiłem portfel przez przypadek.*

przypadkowy – **1**. będący wynikiem przypadku: *Przypadkowa znajomość* **2**. mający związek z przypadkiem II: *System przypadkowy języka polskiego.*

od przypadku do przypadku – rzadko, czasami: *Andrzej nie jest kinomanem, chodzi do kina tylko od przypadku do przypadku.*

wypadek, **-u** – **1**. to, co się zdarzyło; to, co się stało nagle; zdarzenie, fakt, w wyniku którego ktoś poniósł straty materialne, utracił zdrowie lub życie: *Tragiczny, nieszczęśliwy wypadek. Wypadek samochodowy, kolejowy. Uniknąć wypadku. Na skrzyżowaniu doszło do wypadku. Miał miejsce, zdarzył się wypadek.*

wypadek przy pracy – *potocznie często żartobliwie:* nieprzewidziane, małe niepowodzenie, uboczny efekt jakiejś aktywności: *Planowaliście to dziecko? Nie, wypadek przy pracy.*

w żadnym wypadku – (kategorycznie) nigdy, niezależnie od sytuacji (*występuje z czasownikiem w negacji*): *W żadnym wypadku się już z nim nie spotkam! Nie zgodzę się na to w żadnym wypadku!*

na wszelki wypadek – żeby się zabezpieczyć, dla pewności: *Zapowiadano ładną pogodę, ale na wszelki wypadek wziął ze sobą parasol.*

Słownik współczesnego języka polskiego, red. B. Dunaj, Warszawa 1996

1. Nie znam dobrze Renaty, to tylko taka .... znajomość.

2. Nie interesuję się sztuką, na przykład do teatru chodzę ....

3. Spotkałem go .... na uniwersytecie.

4. .... nie pójdę do Grzegorza – nie ma mowy – wiesz przecież, że go nie lubię.

5. Wiesz co, ... weź ze sobą więcej pieniędzy – nie wiadomo, co może się stać w tak dalekiej podróży.

6. Nie chciałem zrobić błędu w tym zdaniu, to tylko

....

7. W języku polskim jest 7 ....

8. To był ...., że Marcin zaczął pracować w tej firmie – nie planował tego.

9. Słyszałem, że twój brat miał .... samochodowy.

10. .... przed egzaminem Mariusz powtórzył jeszcze raz materiał gramatyczny.

Część D. Pisanie

I. Do zwrotów podanych w tabeli proszę dopasować rodzaje tekstów, w których mogą one wystąpić.

> w nieformalnej kartce pocztowej   w liście / e-mailu formalnym
> w liście prywatnym   w opowiadaniu   w relacji z jakiegoś wydarzenia

	• Szanowny Panie Dyrektorze / Profesorze // Szanowna Pani Dyrektor / Profesor • Chciałbym / chciałabym Pana / Panią poinformować, że niestety... • Z wyrazami szacunku // Łączę serdeczne pozdrowienia
	• Drogi Wujku / Kochany Dziadku // Droga Ciociu / Kochana Babciu • Na początku mojego listu chciałbym / chciałabym podziękować za Twój / Wasz list. • Pozdrawiam Cię / Was serdecznie // Serdeczne pozdrowienia dla wszystkich • Ściskam / Całuję • Wasz... / Twój... / Wasza... / Twoja...
	• Przesyłam serdeczne pozdrowienia z... // Pozdrawiam gorąco z... • Życzę szybkiego powrotu do zdrowia. // Życzę sukcesu na egzaminie. • Do zobaczenia w... • Trzymaj się / Trzymajcie się
	• Było to... / Pewnego dnia... • Wtedy... • W pewnym momencie... / Nagle....
	• Zdarzyło się to... (kiedy? gdzie?) • Na początku... / potem... / później... / następnie... • W tym samym czasie... / jednocześnie... • Kiedy... • Ponieważ... • Na zakończenie... / na końcu...

Pdczas egzaminu

W czwartej części egzaminu będzie Pan musiał / Pani musiała napisać dwa teksty. Wśród nich mogą pojawić się podobne do przedstawionych poniżej:

II. Proszę wybrać jeden z zestawów i wykonać obydwa polecenia (a i b). W tekstach proszę użyć odpowiednich zwrotów.

Zestaw 1

a) Proszę napisać kartkę z pozdrowieniami i życzeniami powrotu do zdrowia do kolegi, który leży w szpitalu. (20 słów)

b) Proszę napisać opowiadanie zaczynające się od słów: „Wszystko zapowiadało się tak pięknie......". (180 słów)

Zestaw 2

a) Miał Pan / miała Pani wypadek na nartach za granicą i niestety nie wróci Pan / Pani na czas do pracy. Prosze napisać e-maila do szefa, w którym go Pan / Pani o tym poinformuje. (20 słów)

b) Proszę napisać relację z ostatnio odbytej podróży. (180 słów)

Zestaw 3

a) Proszę napisać list do firmy ubezpieczeniowej w związku z poniesionymi szkodami spowodowanymi zalaniem mieszkania. (30 słów)

b) „Ostatnio miałem pecha" – Proszę napisać list do rodziny w Polsce. (170 słów)

lekcja

14

Sytuacje komunikacyjne **Powtórzenie:** wyrażanie aprobaty i dezaprobaty, wyrażanie protestu
Słownictwo przyroda, klimat, ekologia
Gramatyka i składnia **Powtórzenie:** celownik liczby pojedynczej i mnogiej
Część egzaminacyjna **Część C.** Rozumienie tekstów pisanych

W zgodzie z naturą

1 Proszę opowiedzieć, co przedstawia poniższe zdjęcie, a następnie odpowiedzieć na pytania poniżej.

1. Jak Pan / Pani myśli, czy to miasto jest duże czy małe?
2. Czy życie mieszkańców tego miasta jest łatwe czy trudne? Dlaczego?
3. Jak jego mieszkańcy spędzają wolny czas?
4. Czy mają problemy ze zdrowiem? Jeśli tak, to jakie i dlaczego?
5. Jak spędzają wakacje ich dzieci? Jak powinny spędzać wakacje?
6. Co powinni robić, żeby życie w tym mieście stało się łatwiejsze?
7. Jakie problemy z punktu widzenia ekologii mają duże miasta przemysłowe?

2a Proszę przeczytać tekst i powiedzieć, czy mówi on o problemie zanieczyszczonego powietrza czy wody?

R Y B O M
w Bałtyku
grozi
wyginięcie!

W Morzu Północnym i Bałtyku katastrofalnie zmniejszają się zasoby ryb, ponieważ Unia Europejska zezwala na zbyt wielkie połowy – wynika z raportu, który sporządziła Rada Ekspertów do spraw Ochrony Mórz.

Według autorów ekspertyzy zagrożone są europejskie węgorze, a także dorsze, flądry i inne ryby żyjące w Morzu Północnym i w Bałtyku. Autorzy postulują, aby Unia Europejska nie subwencjonowała budowy dużych trawlerów.

W raporcie jest także mowa o utrzymującym się zanieczyszczeniu mórz przez substancje azotowe i fosfaty, co jest skutkiem nadmiernego nawożenia w rolnictwie. Prowadzi to do rozrostu alg, ubytku tlenu w wodzie, a w konsekwencji do wymierania ryb.

Rada Ekspertów do spraw Ochrony Mórz wezwała do gruntownej reformy unijnej polityki rolnej, a za krok we właściwym kierunku uznała udzielanie subwencji rolnikom niezależnie od wielkości produkcji.

IAR, MFI, 2004.02.11

2b Proszę powiedzieć, czy poniższe informacje są prawdziwe (P) czy nieprawdziwe (N).

0. Rybom w Bałtyku grozi śmierć. (P)/ N
1. Unia Europejska nie pozwala na zbyt wiele połowów. P / N
2. Sardynkom i makrelom grozi śmierć. P / N
3. Unia Europejska subwencjonuje budowę trawlerów. P / N
4. Substancje azotowe powodują zanieczyszczenie mórz. P / N
5. Rada Ekspertów do spraw Ochrony Mórz chce zreformować unijną politykę rolną. P / N

3 Proszę znaleźć w tekście najważniejsze słowa i zwroty, które potrzebne są do rozmowy o problemach ekologicznych.

grozić	zanieczyszczenie	powodować
....	....	....
....	....	....

● Gramatyka

4 Proszę wstawić właściwą formę rzeczownika podanego w nawiasie.

Śmierć grozi .....*rybom morskim i lądowym*......... . Zanieczyszczenie powietrza
wody jest .... (wielki problem) dzisiejszej cywilizacji.
Śmierć grozi .... (liczne gatunki) zwierząt, a także
.... (lasy). Substancje toksyczne w ziemi, wodzie i powietrzu powodują
.... (zwiększenie) ubytku tlenu. Zmniejsza się liczba ....
ryby) w wodzie, ... (drzewa) i .... (kwiaty).

5 Proszę wpisać w tabelę podane poniżej wyrazy oraz dla każdego z nich podać formę celownika.

✓ryby ✓zanieczyszczenie zwierzęta
noszenie wyrobów skórzanych
jedzenie mięsa budowa fabryk
subwencje rządowe ptaki leśne
rekiny żyrafy zebry
finansowanie badań na zwierzętach
testy na zwierzętach

Wyginięcie grozi...	Protestuję przeciw...
rybom	*zanieczyszczeniu*

Słownictwo

6 Czy to jest to samo?

0. To jest efekt / skutek zanieczyszczenia.   *synonimy*
1. Las jest zagrożony / chroniony.
2. Rybom grozi wyginięcie / śmierć.
3. Zmniejsza się / zwiększa się zanieczyszczenie powietrza.
4. Nadmierne / zbyt małe zainteresowanie ekologią to problem wielu krajów.
5. Zainteresowanie ekologią spadło / zmniejszyło się.
6. Liczba gatunków zwierząt nie zwiększyła się / nie wzrosła.

7 Proszę przeczytać tytuły prasowe. Czy budzą one Pana / Pani aprobatę czy dezaprobatę?

– *Zgadzam się, powinno się...*
– *Co za pomysł! Karp to...*

WYRAŻANIE APROBATY I DEZAPROBATY

– To fakt.
– Zgadzam się.
– Z całą pewnością.
– To bardzo możliwe.
– Ależ skąd!
– Co za pomysł!
– Nic podobnego.
– To wykluczone!
– Nonsens.
– Co Ty opowiadasz!

Karp? Tak, ale tylko na talerzu.

Wisła zanieczyszczona.

Wróbel to nasz przyjaciel.

Aquapark bez delfinów.

Centrum ochrony bocianów już otwarte!

 8 **Proszę wyrazić swoją aprobatę lub dezaprobatę dla następujących wypowiedzi:**

- *Powinniśmy pracować w organizacjach ekologicznych!*
- *Dlaczego nie zaczniemy segregować śmieci?*
- *Trzeba zorganizować protest przed ministerstwem środowiska!*
- *Kochanie, od dzisiaj nie jemy mięsa i nie nosimy wyrobów skórzanych.*

 9 **Proszę zaprezentować grupie następujące sceny:**

a) Pracuje Pan / Pani
w organizacji ochrony
zwierząt. Pana / Pani
sąsiad nie chce chodzić
na spacery z psem. Pies
cały dzień siedzi w domu.
Proszę wyrazić swoją
dezaprobatę.

b) Wszyscy sąsiedzi
segregują śmieci, ale jeden
zaprotestował, bo mówi,
że to nie ma sensu. Proszę
przekonać go, że się myli.

c) W Pana / Pani mieście
budują nową fabrykę
samochodów na
miejscu starego parku.
Proszę wyrazić protest
przeciw tej inwestycji.

d) Pana / Pani dziecko chce
należeć do organizacji, która
zajmuje się ochroną ptaków:
sikorek, srok i dzięciołów.
Proszę wyrazić swoją
aprobatę dla tego pomysłu.

10 **Proszę wysłuchać rozmowy z inicjatorką akcji przeciw transportowi zwierząt i odpowiedzieć w jej imieniu na następujące pytania:**

CD
53

1. Kiedy zainteresowałaś się problemem transportu koni?

....

2. Kto ci powiedział, że warunki, w których transportuje się konie, są nie do zaakceptowania? Jakie są to warunki?

....

3. Czy istnieje w Polsce jakaś organizacja, która aktywnie zajmuje się tym problemem?

....

4. Do kogo adresujecie wasz protest?

....

5. Ile podpisów udało wam się zebrać?

....

6. Jaka jest szansa, że ten protest przyniesie skutek? A może już przyniósł?

....

7. Czy są jeszcze inne problemy związane z traktowaniem zwierząt, którymi się interesujesz?

....

8. Jak oceniasz świadomość ekologiczną Polaków?

....

11 **Proszę napisać list do władz lokalnych w sprawie budowy nowej fabryki samochodów w waszym regionie. Fabryka ma być zbudowana na miejscu starego lasu. (120 słów)**

....
....
....
....

I Proszę zaznaczyć najważniejsze informacje z każdego paragrafu poniższego tekstu.

lekcja
14

Nowa strategia ochrony żubra

1

Nowa strategia ochrony żubra oraz wykorzystanie tego największego w Europie ssaka w promocji walorów turystycznych i tradycji regionu – to główne założenia programu „Żubr", opracowanego w Zakładzie Badania Ssaków PAN w Białowieży (Podlaskie).

5 Program „Żubr" składa się z dwóch głównych części: nowej strategii ochrony żubra i badań naukowych oraz działań zmierzających do rozwoju turystyki w regionie poprzez stworzenie sieci inwestycji pod nazwą „Kraina Żubra" tam, gdzie to zwierzę występuje obecnie lub ma mieszkać w przyszłości. (...)

10 Wszystkie te działania mają doprowadzić do wydłużenia czasu pobytu turystów na Podlasiu z kilku nawet do 10 – 14 dni. (...)

Pomysłodawcy programu „Żubr" przyznają, że podstawowym problemem są pieniądze na jego realizację. Liczą jednak na to, że tak zintegrowany projekt – ochrony żubra i rozwoju regionu – szybciej uzyska

15 pieniądze z funduszy strukturalnych UE. (...)

Rok 2004 jest rokiem żubra w Białowieskim Parku Narodowym (oficjalnie obchody zostaną zainaugurowane za dwa tygodnie). W tym roku mija bowiem 75 lat od pierwszych prób odnowienia tego gatunku.

PAP, MFi, 2004.02.09

Pieśń zwycięstwa w duecie w wykonaniu ptaków tropikalnych

2

Niewielkie ptaki z gatunku *Laniarius aethiopicus* żyją w subsaharyjskiej części Afryki. Ich niezwykłość polega na tym, że śpiewają zarówno samce, jak i samice. Ptaki te żyją w monogamicznych związkach i często śpiewają w duecie, przy czym każdy osobnik wykonuje własną partię wokalną.

Odkrycia, że ptaki te wykonują wspólną pieśń zwycięstwa, dokonano przez przypadek. Ulmar Grafe

5 i Johannes Bitz z niemieckiego Uniwersytetu Würzburga badali repertuar muzyczny ptaków z Wybrzeża Kości Słoniowej, nagrywając śpiewy, puszczając nagrania i badając reakcję zwierząt. Ekolodzy zauważyli, że gdy pakowali sprzęt i zabierali się do opuszczenia terytorium ptaków, te rozpoczynały bardzo charakterystyczny śpiew.

Śpiew – oznaka zwycięstwa jest sygnałem nie tylko dla przegnanego intruza, ale i dla pozostałych ptaków.

10 Pomaga też ograniczyć przyszłe konflikty terytorialne.

Badacz przypomina, że kilka gatunków zwierząt wokalnie celebruje wygraną. Jednak tropikalne *Laniarius aethiopicus* są pierwszymi opisanymi w nauce ptakami, które pieśń zwycięstwa wykonują w duecie.

PAP, mat, 2004.02.15

Na Śląsku też są czyste gleby

3

Zawartości pierwiastków śladowych, metali ciężkich, np. kadmu, miedzi i ołowiu, w uprawnych glebach Polski, są znacznie niższe lub zbliżone do niskich stężeń tych pierwiastków w glebach Europy i świata. Tak stwierdzili eksperci z Instytutu Uprawy, Nawożenia i Gleboznawstwa w Puławach. Dzięki analizom udało się stwierdzić, że około 80 procent gleb Polski nie jest zanieczyszczone metalami ciężkimi.
– Od zanieczyszczeń wolne są m.in. niziny polskie, Mazury, ściana wschodnia, północ i zachód kraju. Mogą tam jednak lokalnie występować zanieczyszczenia związane z nieuporządkowaną gospodarką odpadami albo działalnością zakładów przemysłowych – powiedział jeden z uczestników badań, kierownik Zakładu Gleboznawstwa, Erozji i Ochrony Gruntów w IUNG w Puławach, Tomasz Stuczyński.
– Gleby czyste znajdziemy wszędzie, nawet na Śląsku, choć to paradoksalne, niemniej udział gleb zanieczyszczonych wynosi tutaj około 30 – 40 procent ogółu" – dodał. (...)

PAP, mat, 2004.02.15

4

Deszczowa Ziemia

Średnie roczne opady deszczu na Ziemi wynoszą około 850 mm. Na terenach pustynnych jest to zaledwie 25 mm. W wysokich górach Azji wielkość ta waha się od 1000 do 2500 mm, a w środkowej Afryce jest jeszcze większa: na wybrzeżu Kamerunu wynosi do 4000 mm, zaś na zboczach gór tego kraju, uznanych za jedno z najbardziej deszczowych miejsc, aż do 10 000 mm. Pierwsze miejsce w tym zestawieniu zajmuje wulkaniczna wyspa Hawajów, Kauai. Meteorologowie podają, że każdego roku spada nam średnio 12 m deszczu. Taki wynik notowany jest już od 36 lat.
Średnie opady deszczu w Polsce wynoszą 600 mm. Rekordową ilość opadu zanotowano w Kamienicy Kłodzkiej, gdzie w ciągu trzech dni lipca 1997 spadło 455 mm wody. Wtedy też, podczas wielkiej powodzi, w czasie burzy w szczytowej partii Sudetów i Tatr spadło nieco więcej niż 200 mm deszczu, a pod Śnieżnikiem – w ciągu miesiąca ponad 900 mm.

Las bez drzew

Puszczy Piskiej i Boreckiej, niemal doszczętnie zniszczonym przez huragan, teraz grozi pożar.

Połamane niczym zapałki drzewa, rozdęte trupy zabitych zwierząt, krzyki ptaków szukających gniazd. Głosy nawołujących
5 się drwali, warkot tysięcy pił i dziesiątków ciężkich leśnych maszyn. Strach przed gigantycznym pożarem. Tak wygląda dziś Puszcza Piska i Borecka, wczoraj jedne z najpiękniejszych polskich lasów. Od czasu wielkiej powodzi w 1997 roku nie było w Polsce kataklizmu przyrody na taką skalę.

"Polityka" 2002, nr 32

W Tatrach intensywne opady śniegu

W Tatrach i na Podtatrzu intensywnie pada śnieg, wzrosło zagrożenie lawinowe. Tylko dzisiejszej nocy przybyło około 25 centymetrów świeżego śniegu i nadal sypie.

Na Kasprowym Wierchu leży 140 centymetrów białego puchu.
5 Ruszyła kolej linowa, natomiast kolejki krzesełkowe z Hali Gąsienicowej i Goryczkowej są odkopywane spod śniegu. Wysoko w górach jest 12 stopni poniżej zera i śnieżna zadymka. Ogłoszono czwarty stopień zagrożenia lawinowego. Oznacza to, że samoczynnie mogą schodzić średnie i duże lawiny.
10 Zamknięte dla ruchu turystycznego są wszystkie szlaki powyżej tatrzańskich schronisk i większość prowadzących niżej. Niedostępne jest – między innymi – dojście do Morskiego Oka. Przygotowywane jest obejście najbardziej niebezpiecznego odcinka drogi.
15 Prawie półmetrowa warstwa śniegu zalega w także w Zakopanem i na całym Podtatrzu. Termometry wskazują 4 stopnie poniżej zera. Czynne są wszystkie koleje i wyciągi. Warunki do narciarskich szusów są znakomite.

IAR, mat, 2004.02.15

Tekst 1. Ten tekst informuje o tym, że:

a) nie ma pieniędzy na ochronę żubra,

b) opracowano strategię ochrony żubra,

c) na Podlasiu nie rozwija się turystyka.

Tekst 2. Ten tekst informuje o tym, że:

a) ptaki nie umieją śpiewać w duecie,

b) niektóre gatunki śpiewają w duecie, kiedy się kochają,

c) niektóre gatunki śpiewają pieśń zwycięstwa.

Tekst 3. Ten tekst informuje o tym, że:

a) na Śląsku nie ma czystych gleb,

b) zawartość metali ciężkich w glebach Polski nie jest większa niż w innych krajach Europy,

c) w Małopolsce jest dużo rodzajów gleb.

Tekst 4. Ten tekst informuje o tym, że:

a) na Ziemi rocznie spada 850 mm deszczu, a w Polsce 600 mm,

b) na Ziemi spada więcej deszczu niż śniegu,

c) w Polsce mamy rekordowe opady deszczu.

Tekst 5. Ten tekst informuje o tym, że:

a) puszcza została zniszczona przez ludzi,

b) puszcza została zniszczona przez powódź,

c) puszcza została zniszczona przez huragan.

Tekst 6. Ten tekst informuje o tym, że:

a) codziennie spada 25 centymetrów śniegu w Tatrach,

b) w ciągu roku spada 25 centymetrów śniegu w Tatrach,

c) poprzedniej nocy spadło 25 centymetrów śniegu w Tatrach.

lekcja

15

Sytuacje komunikacyjne nawiązywanie kontaktu w rozmowie i w liście, pytanie
Słownictwo środki masowego przekazu
Idiomy: *pociągnąć kogoś za język, wiadomość z pierwszej ręki, owijać w bawełnę*
Gramatyka i składnia odmiana zaimków przeczących: *nikt, nic, żaden*
Część egzaminacyjna **Część C.** Rozumienie tekstów pisanych

O czym się teraz mówi?

Słownictwo

1 Z rozsypanych wyrazów proszę ułożyć słownikową definicję – czym są *środki masowego przekazu?*

> do dociera się radio, za pomocą telewizja. odbiorcy: masowego prasa, ✓środki, których

Mass media / środki masowego przekazu –

.środki..

....

....

....

Słownik współczesnego języka polskiego, red. B. Dunaj, Warszawa 1996

 2 Czy media są obecne w Pana / Pani życiu? Proszę porozmawiać z kolegą / koleżanką na ten temat. Oto pomocnicze pytania:

1. Co wolisz radio czy telewizję? Dlaczego?
2. Co lubisz oglądać w telewizji, czego lubisz słuchać w radiu?
3. Jak często korzystasz z Internetu? Jakie strony najczęściej odwiedzasz?
4. Skąd dowiadujesz się o bieżących wydarzeniach?
5. Jakie są teraz aktualne tematy w mediach w Twoim kraju?
6. O czym mówi się teraz w radiu i telewizji w Twoim kraju?
7. O czym pisze się teraz w Twoim kraju?
8. Czy wiesz, o czym jest teraz głośno w Polsce?
9. Jaki interesujący albo szokujący reportaż / program w telewizji oglądałeś / oglądałaś ostatnio?
10. Jaki artykuł czytałeś / czytałaś ostatnio?

 3 Jest Pan / Pani dziennikarzem radiowym lub telewizyjnym i przygotowuje Pan / Pani reportaż. Proszę napisać listę pytań, a następnie przeprowadzić wywiad z kolegą lub koleżanką z grupy na jeden z wybranych tematów. Proszę zanotować odpowiedzi i przedstawić je na forum grupy. W czasie rozmowy proszę użyć poniższych zwrotów:

– Proszę pana! Proszę pani!
– Przepraszam pana / panią / państwa.
– Przepraszam, czy pan Kowalski / pani Nowak?

– Przepraszam, że przeszkadzam, ale chciałbym / chciałabym o coś zapytać.
– Czy można o coś zapytać?
– Czy może pan / pani odpowiedzieć na kilka pytań?
– Chciałbym / chciałabym się dowiedzieć, czy / kiedy / jak / dlaczego...?
– Proszę mi powiedzieć, czy / kiedy / jak / dlaczego...
– Co pan / pani wie na temat...

– Czy może pan / pani podać jakieś przykłady?
– Przepraszam, że przerywam, ale...

– Nie wiem, czy dobrze zrozumiałem / zrozumiałam. Czy mówi pan / pani, że...
– Skąd pan / pani to wie?

TEMATY DO WYBORU:
- Telewizja kłamie.
- Internet jest zagrożeniem dla prasy.
- Radio wychodzi z mody.
- Korupcja.
- Bezrobocie.
- Sens reform ekonomicznych i politycznych.
- Wybory i mass media.
- Protesty, strajki, demonstracje – potrzebne czy nie?

4a Proszę przeczytać krótką notkę biograficzną Anny Marszałek – Dziennikarza Roku 2003 i napisać 5 pytań, które Państwo zadaliby jej w wywiadzie.

- *Zapytałbym / zapytałabym o to, czy... / kiedy... / gdzie... / skąd... / jak..., a ty?*

- *Rzeczywiście, to jest ciekawe pytanie.*

- *Ja zapytałbym / zapytałabym ją o to samo.*

- *Mnie się nie podoba to pytanie.*

- *Ja chciałbym / chciałabym się raczej dowiedzieć, czy... / kiedy... / gdzie... / skąd... / jak...*

Anna Marszałek – ukończyła filologię polską w Wyższej Szkole Pedagogicznej w Rzeszowie. Na Uniwersytecie Warszawskim studiowała podyplomowo dziennikarstwo i zaocznie prawo. Od 1992 pracuje w „Rzeczpospolitej". W 2000 roku otrzymała główną nagrodę w kon-
5 kursie „Tylko ryba nie bierze" organizowanym w ramach programu „Przeciw korupcji" przez Fundację im. S. Batorego. Laureatka nagród Stowarzyszenia Dziennikarzy Polskich. W 2001 roku za teksty śledcze pisane z Bertoldem Kittelem zdobyła Grand Press w kategorii Dziennikarstwo śledcze. W 2003 roku zdobyła Grand Press w kategorii News.
10 Została Dziennikarzem Roku 2003.

4b Proszę przeczytać fragment rozmowy z Anną Marszałek – Dziennikarzem Roku 2003 i odpowiedzieć na pytania:

Press: Ile ma Pani telefonów komórkowych?
Anna Marszałek: Trzy komórki służbowe, dwie prywatne.
Press: Z informatorami woli się Pani spotykać w parku czy w gwarnej knajpie?
Anna Marszałek: W knajpie, nie przesadzałabym z tą tajnością. Większość rozmów przeprowadzam zresztą w redakcji. I nigdy nie nagrywam ich z ukrycia. A od kiedy zaczęły się różne plotki na mój temat, zdecydowałam, że muszę działać maksymalnie etycznie.
Press: Jak często ktoś ze służb specjalnych przynosi Pani materiały?
Anna Marszałek: Nawet jak przynosi, nie biorę. Problem ze mną polega na tym, że w ogóle nie biorę materiałów z giełdy dziennikarskiej. Nie mam też stałej grupy informatorów, którzy dostarczają mi sprawy – bo to oznaczałoby uzależnienie się od nich. Za każdym razem szukam innego typu spraw i innego kręgu informatorów. Zdarza się, że biorę sprawy od osób, które zgłoszą się przypadkowo. Tak będzie z następnym tematem. Nie znałam tych ludzi, dwa miesiące sprawdzałam, czy nie próbują mną manipulować, czy sprawa nie ma trzeciego dna. Aż nabrałam przekonania, że racja jest po ich stronie.
Press: Nie jest Pani kociakiem, długonogą blondynką, która zaczaruje rozmówcę wielkimi oczami, ani face-

tem komandosem, który wzbudza strach i respekt. To przeszkadza?
Anna Marszałek: Po pierwszym wrażeniu następuje merytoryczna rozmowa i – mam nadzieję – wzbudzam sza-
30 cunek bądź przekonanie, że nie będę łatwym przeciwnikiem. Zawsze próbuję być przygotowana i po pierwszym pytaniu rozmówca wie, że nie da się mnie spławić czy oczarować komplementami.
Press: Kiedy poczuła Pani, że jest Pani gotowa do takich
35 rozmów i tematów?
Anna Marszałek: Kiedy zaczynałam pracę, nie miałam tej pewności siebie, jaka dziennikarzowi jest potrzebna. Nabywałam jej w miarę, jak czułam się coraz lepiej przygotowana – poznawałam Warszawę, ludzi, mechanizmy tu rządzące. Nauczyłam się trochę prawa, pracy różnych
40 struktur: policji, prokuratury, sądów.

„Press" 2004, nr 1

1. Gdzie pani Anna spotyka się ze swoimi rozmówcami?
....

2. Kiedy dziennikarka zdecydowała, że musi działać maksymalnie etycznie?
....

3. Czy dziennikarka jest zainteresowana tematami, które proponują osoby pracujące w służbach specjalnych?
....

4. Dlaczego pani Anna Marszałek nie ma stałej grupy informatorów?
....

5. Dlaczego dziennikarka przez dwa miesiące sprawdzała ludzi, którzy przyszli do niej z tematem, nad którym teraz pracuje?
....

6. Co jest ważne dla dziennikarki w kontakcie z rozmówcą?
....

5a Jak Pan / Pani myśli, co znaczą te idiomy?

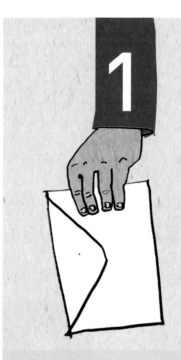

owijać w bawełnę

- grzecznie pytać
- mówić o czymś pozytywnie
- mówić o czymś nie wprost

wiadomość z pierwszej ręki

- wiadomość uzyskana bezpośrednio od jakiejś osoby, wiadomość pewna, sprawdzona
- plotka
- wiadomość, o której się właśnie mówi

pociągnąć kogoś za język

- ciągle komuś przerywać
- wypytać kogoś, uzyskać informację w jakiejś sprawie
- przekonać kogoś do czegoś

5b Proszę uzupełnić zdania właściwymi idiomami.

1. Niech pan przestanie .... i nareszcie powie, o co tak naprawdę panu chodzi.

2. Jesteś pewna, że to ...., może to zwykła plotka.

3. No i co, udało ci się .... swojego szefa? Dowiedziałeś się w końcu, czy planuje dać ci w tym roku podwyżkę?

4. Cenię go za to, że nigdy nie .... – zawsze mówi wprost, o co mu chodzi. Niektórym jednak to przeszkadza.

5. Słuchaj, mam .... – rozmawiałem wczoraj z rektorem, od przyszłego roku akademickiego planowane są zmiany personalne na naszym wydziale.

6. Kiedy dziennikarz zadał politykowi trudne pytanie, ten zaczął .... – po prostu nie chciał na nie odpowiedzieć.

7. Nie wiesz, czy Jurek spotyka się z Kaśką? Próbowałam go już kilka razy ...., ale nic mi nie powiedział.

8. Studenci chcieli dowiedzieć się, jakie dokładnie tematy będą na egzaminie, na wykładzie próbowali .... wykładowcę ...., niestety, bezskutecznie.

9. W tej stacji telewizyjnej liczy się profesjonalizm. Dziennikarzy nie interesują plotki i niesprawdzone informacje, zawsze podają ....

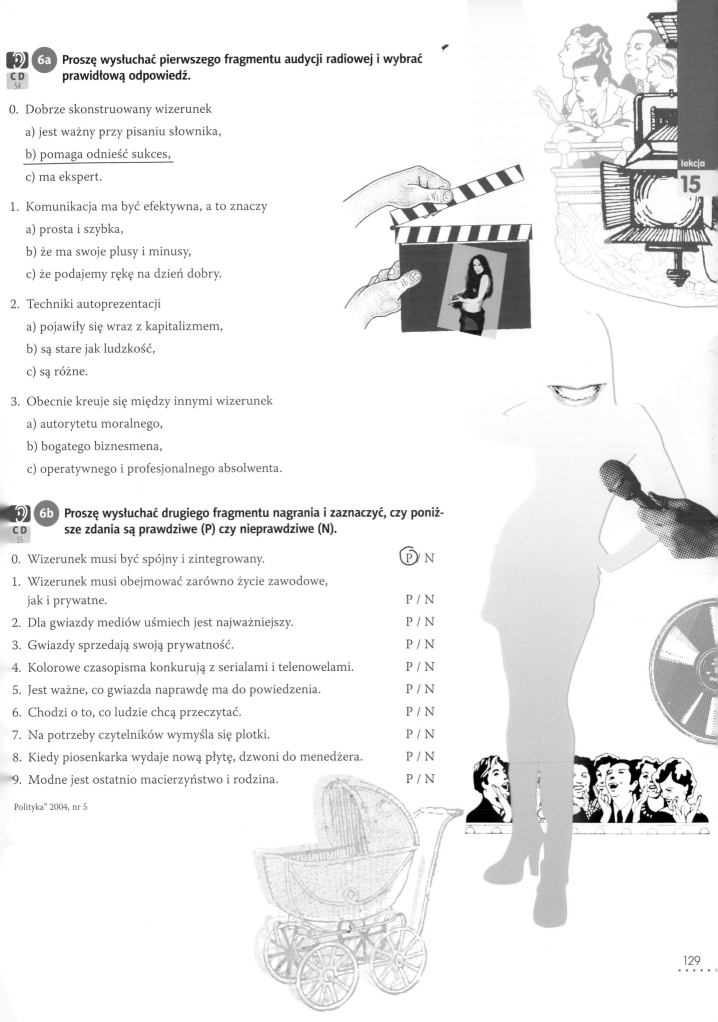

6a Proszę wysłuchać pierwszego fragmentu audycji radiowej i wybrać prawidłową odpowiedź.

CD 54

0. Dobrze skonstruowany wizerunek
   a) jest ważny przy pisaniu słownika,
   b) pomaga odnieść sukces,
   c) ma ekspert.

1. Komunikacja ma być efektywna, a to znaczy
   a) prosta i szybka,
   b) że ma swoje plusy i minusy,
   c) że podajemy rękę na dzień dobry.

2. Techniki autoprezentacji
   a) pojawiły się wraz z kapitalizmem,
   b) są stare jak ludzkość,
   c) są różne.

3. Obecnie kreuje się między innymi wizerunek
   a) autorytetu moralnego,
   b) bogatego biznesmena,
   c) operatywnego i profesjonalnego absolwenta.

6b Proszę wysłuchać drugiego fragmentu nagrania i zaznaczyć, czy poniższe zdania są prawdziwe (P) czy nieprawdziwe (N).

CD 55

0. Wizerunek musi być spójny i zintegrowany. (P) N
1. Wizerunek musi obejmować zarówno życie zawodowe, jak i prywatne. P / N
2. Dla gwiazdy mediów uśmiech jest najważniejszy. P / N
3. Gwiazdy sprzedają swoją prywatność. P / N
4. Kolorowe czasopisma konkurują z serialami i telenowelami. P / N
5. Jest ważne, co gwiazda naprawdę ma do powiedzenia. P / N
6. Chodzi o to, co ludzie chcą przeczytać. P / N
7. Na potrzeby czytelników wymyśla się plotki. P / N
8. Kiedy piosenkarka wydaje nową płytę, dzwoni do menedżera. P / N
9. Modne jest ostatnio macierzyństwo i rodzina. P / N

Polityka" 2004, nr 5

lekcja **15**

● Gramatyka

7 Proszę uzupełnić zdania, używając zaimków przeczących *nikt*, *nic* i *żaden* w odpowiedniej formie.

0. _Nic..._ o tym nie wiem.

1. Ten dziennikarz nie napisał .... artykułu na ten temat.

2. Media .... o tym nie mówiły.

3. Na razie nie mówiłem o tym ....

4. W telewizji nie było .... na ten temat.

5. Nie spotkałam jeszcze .... dziennikarza, który byłby tak zaangażowany w politykę jak on.

6. Nigdzie nie ma na ten temat .... informacji.

7. Nie znam .... takiego jak on.

8. Z ...., o czym pani mówi, nie mam .... wspólnego.

9. Dziennikarz nie prosił polityka o .... innego oprócz odpowiedzi na dwa pytania.

10. Nie znam .... innego środka masowego przekazu, który byłby dziś tak popularny jak Internet.

11. Nie słyszeliśmy reportażu na ten temat w .... ze stacji radiowych.

12. Z .... dziennikarką nie rozmawiało mi się tak dobrze jak z panią Anną.

8a Planuje Pan / Pani podjąć w przyszłym roku akademickim podyplomowe studia w zakresie mass mediów na uniwersytecie w Polsce. Potrzebuje Pan / Pani opiekuna naukowego i chce Pan / Pani dowiedzieć się, czy prof. Maria Kowalska podjęłaby się tej funkcji. Proszę napisać list do pani profesor.

W liście proszę wykorzystać następujące zwroty:

Szanowna Pani Profesor,

Zwracam się z uprzejmą prośbą o...

Z góry bardzo dziękuję za...

Z wyrazami szacunku

8b Proszę ustosunkować się pisemnie do podanego cytatu.

> „Staliśmy się społeczeństwem spektaklu.
> Musimy nieustannie występować. Nieważne,
> dobrze czy źle, byle przed kamerą".
>
> prof. Roch Sulima

Część C. Rozumienie tekstów pisanych

Podczas egzaminu:

- Proszę przeczytać uważnie polecenie.
- Proszę się upewnić, czy dokładnie rozumie Pan / Pani, co ma Pan / Pani zrobić.
- Proszę zacząć od tego, czego jest Pan / Pani absolutnie pewien / pewna.
- Nawet jeśli nie jest Pan pewien / Pani pewna pozostałych odpowiedzi, proszę opowiedzieć na wszystkie pytania.

I Oto strona z ogłoszeniami z lokalnej gazety. Proszę dopasować ogłoszenie do odpowiedniego działu:

0	1	2	3	4	5	6	7	8	9	10
f										

0. STOMATOLOGIA

a) Kocięta brytyjskie, tel. 012 345 67 12 (dzwonić wieczorem).

1. MEDYCYNA NATURALNA

b) Blokady, alarmy, zamki centralne, Puławskiego 14, 022 412 09 11.

2. PROBLEMY Z UZALEŻNIENIEM

c) Czyszczę auta, dywany, żaluzje, tel. 017 213 09 78.

3. BEZPIECZNE AUTO

d) Angielski, studentka anglistyki, 012 341 09 76.

4. NAUKA JAZDY

e) Do wynajęcia czteropokojowe z balkonem, od zaraz, tel. 017 564 09 12.

5. DAM PRACĘ

f) Prywatny gabinet dentystyczny, pn., śr. 10 – 18, tel. 017 765 01 23.

6. KOREPETYCJE

g) Poradnia antyalkoholowa, terapia indywidualna i grupowa. 041 112 34 90.

7. NIERUCHOMOŚCI

h) Nadzieja w ciężkich chorobach. Zwiększanie odporności. Zioła. Tel. 041 328 93 10.

8. BIURA MATRYMONIALNE

i) Szkoła kierowców, bezstresowo, kursy teoretyczne i praktyczne, tel. 012 512 09 11.

9. ZWIERZAKI

j) Poznaj partnera na całe życie. Zapewniamy dyskrecję, 017 298 14 23.

0. USŁUGI PORZĄDKOWE

k) Zatrudnię panią do pomocy w domu. Obowiązki: sprzątanie i wyprowadzanie psa. Tel. kom. 0 509 978 123.

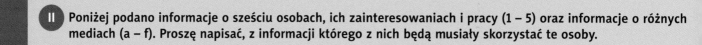

II Poniżej podano informacje o sześciu osobach, ich zainteresowaniach i pracy (1 – 5) oraz informacje o różnych mediach (a – f). Proszę napisać, z informacji którego z nich będą musiały skorzystać te osoby.

0	1	2	3	4	5
c					

0. Tomek

jest wolontariuszem w urzędzie miasta. Pomaga przy wprowadzaniu w życie programu „Zielone miasto". Załatwia różne sprawy administracyjne i jest odpowiedzialny za stronę internetową zawierającą opis programu, a także zamieszcza dla wszystkich zainteresowanych wiadomości z zakresu ochrony przyrody.

1. Iwona

studiuje chemię, interesuje się podróżami i polityką. W przyszłym roku jedzie na roczne stypendium do Paryża. Koniecznie musi wcześniej podszkolić swój francuski.

2. Katarzyna

jest przedszkolanką. Pracuje z dziećmi i lubi korzystać z różnorodnych metod dydaktycznych. Przede wszystkim chce pobudzać ich kreatywne myślenie. Wie, że do dzieci bardzo przemawiają fotografie i barwne opisy.

3. Grzegorz

uczy angielskiego. Pracuje w szkole podstawowej, ale w przyszłym miesiącu planuje założyć biuro tłumaczeń, a po wakacjach własną szkołę językową. Interesuje się sportem.

4. Artur

jest żonaty i ma dwoje dzieci. Marek, starszy syn, ma 13 lat, a młodszy Andrzej – 11 lat. Artur uwielbia spędzać wolny czas ze swoją rodziną na wspólnej zabawie, słuchaniu muzyki czy siedzeniu po niedzielnym obiedzie przed szklanym ekranem.

5. Dominika

nie lubi polityki, woli kulturę. Uczy obcokrajowców polskiego. Za dwa tygodnie ma przeprowadzić kurs specjalistycznego języka dla dziennikarzy. Będzie musiała się więc zapoznać z aktualnymi wydarzeniami politycznymi.

a) Pieniądze.pl

Największy polski portal poświęcony tematyce finansowo-gospodarczej. Wiadomości, notowania, wskaźniki, kursy walut i akcji, informacje gospodarcze i finansowe. Masz lub chcesz założyć
5 przedsiębiorstwo? Nasz serwis pozwoli Ci zrozumieć, co wpływa na Twoje dochody. Znajdziesz tu informacje i porady podatkowe. Dowiesz się, jak wybrać bank, rachunek i kartę płatniczą. Porównasz oferty firm ubezpieczeniowych. Dowiesz się,
10 gdzie warto inwestować. U nas znajdziesz najbardziej aktualne informacje ekonomiczno-prawne. Zapraszamy.

b) Teraz TV

Całodobowa telewizja informacyjna. Przez całą dobę przekazujemy najważniejsze i najświeższe informacje z kraju i ze świata. Proponujemy również programy publicystyczne. Co pół godziny zapra-
5 szamy na przegląd bieżących wiadomości. Do serwisów dołączamy reportaże i transmisje „na żywo". Proponujemy wywiady z osobami komentującymi najważniejsze wydarzenie dnia. Nasi prezenterzy rozmawiają z ekspertami, politykami i naukowca-
10 mi. Wiadomości sportowe prezentujemy co dwie godziny, a informacje o pogodzie przedstawiamy co godzinę.

c) „Ziemia"

Miesięcznik popularno-naukowy, poświęcony środowisku i jego ochronie. Założony w 1990 roku. Popularyzuje ochronę powietrza, wód i gleby, a także walkę z hałasem. Prezentuje stan środowiska i to, co
5 mu zagraża. Porusza kwestie etyczne, filozoficzne, medyczne i prawne związane z ochroną przyrody. Do czasopisma dołączone są bezpłatne wkładki: „Ekologia w szkole" oraz „Zdrowa żywność". Magazyn skierowany jest do zróżnicowanego odbiorcy,
10 m.in. do pracowników administracji państwowej, wyższych uczelni, instytutów naukowo-badawczych, stacji sanitarno-epidemiologicznych, nauczycieli, studentów i młodzieży szkolnej oraz innych osób zainteresowanych naszą Ziemią i jej ochroną.

d) Multi

Nasze radio nadaje swoje audycje w pięciu językach: polskim, angielskim, niemieckim, francuskim i rosyjskim. Można nas słuchać na falach długich, przez satelitę oraz w Internecie. Przekazujemy
5 informacje o Polsce i świecie. Nasze audycje informują także o sytuacji politycznej i gospodarczej w Polsce i na świecie. Zapraszamy na relacje z podróży, a także liczne konkursy dla naszych słuchaczy. Proponujemy codziennie popołudniowe
10 audycje dla najmłodszych.

e) Antena

Grupa odbiorców, do których kierowany jest przekaz telewizji Antena to „widz masowy", w wieku 10 – 49 lat, szukający przede wszystkim zabawy i rozrywki. Prezentuje się tu filmy fabularne, tele-
5 turnieje, konkursy z nagrodami i przede wszystkim polskie seriale i telenowele gromadzące przed telewizorami całe rodziny. Dużo tu programów rozrywkowych, przedpołudniami nadawane są także programy kulinarne.

f) „Tam i z porotem"

Jesteśmy najlepszym czasopismem podróżniczym w Polsce. Istniejemy już 15 lat. Na stu stronach prezentujemy kolorowe zdjęcia, ciekawe reportaże i mnóstwo informacji dotyczących podróży. Jeste-
5 śmy młodzi i uwielbiamy podróżować. Znamy się na tym, o czym piszemy. Tworzymy magazyn, sięgając do doświadczeń i wiedzy zdobywanych w czasie naszych wojaży. Opowiadamy przygody z wypraw i doradzamy, jak najlepiej podróżować. Chcemy
10 Ci pomóc w zaplanowaniu podróży i poznawaniu świata. Prezentujemy sprzęt potrzebny w różnego rodzaju sytuacjach. Możesz skorzystać z naszych doświadczeń i praktycznych porad. Dzięki nam będziesz mógł rozwiązać wiele problemów, na które
15 natrafisz, przygotowując się do podróży i w czasie jej trwania. Zapraszamy do lektury.

Sytuacje komunikacyjne namawianie, przekonywanie

Słownictwo reklama **Idiomy:** *chwyt reklamowy*, *nabić w butelkę*, *wpaść w ucho*

Gramatyka i składnia szyk w zdaniu przeczącym z zaimkiem *się*

Część egzaminacyjna Część C. Rozumienie tekstów pisanych

Reklama kłamie?

  1a **Proszę przyjrzeć się fotografiom, a następnie powiedzieć, co mają ze sobą wspólnego?**

  1b **Czy reklama w Pana / Pani życiu jest ważna? Proszę porozmawiać na ten temat w grupie.**

1. Czy zdarzyło się Państwu kupić coś pod wpływem reklamy? Jeśli tak – to co?
2. Czy kupili Państwo coś z oferty TV-Shop? Jeśli tak – to co to było?
3. Jaki typ reklamy należy do Państwa ulubionych?
4. Jakiego typu reklam Państwo nie lubią?
5. Jaka reklama bardziej Państwa przekonuje: prasowa, radiowa, telewizyjna, w formie plakatów, ulotek?

 1c **Proszę przeprowadzić ankietę w grupie: proszę zapytać kolegów, z jakich produktów są znane ich kraje lub regiony?**

 1d **Z jakimi produktami kojarzą Państwo inne regiony europejskie i kraje spoza Europy? Proszę zrobić listę.**

 1e **Co bierze Pan / Pani pod uwagę, kupując jakiś produkt? Proszę zrobić listę według stopnia ważności.**

1. ....
2. ....
3. ....
4. ....
5. ....

 1f **Proszę podać znane Państwu marki lub producentów poniższych towarów.**

1. samochody – ....
2. zegarki – ....
3. słodycze – ....
4. perfumy – ....
5. sprzęt audio-wideo – ....
6. oprogramowanie komputerowe – ....
7. buty i odzież sportowa – ....
8. książki – ....
9. żywność ekologiczna – ....

Przy których produktach podali Państwo najmniej marek i producentów? Dlaczego? Czy może to mieć związek z liczbą reklam tych produktów?

2a Co Państwa zdaniem można reklamować za pomocą poniższych sloganów?

X – symbol jakości

Kupuj tylko u nas!

Ciesz się zdrowiem

Nowa, ulepszona formuła

Twój X

O tym się mówi

Możesz więcej

Najdoskonalsza technologia

2b Jakie słowa często powtarzają się w reklamach? Proszę, pracując w grupach, zrobić listę takich słów.

rzeczowniki	czasowniki

przymiotniki	inne

2c Jaki powinien być dobry slogan reklamowy? Proszę przeczytać poniższy tekst i podkreślić opinie specjalistów.

Slogan to jest to!

Wśród wielu sloganów, jakie atakują nas ze wszystkich stron, rzadko jest taki, który nie tylko wpada w ucho, ale dobrze kojarzy się z marką i szybko się zapamiętuje. A dobry slogan nie tylko może zwiększyć sprzedaż, ale także wpłynąć pozytywnie na wizerunek produktu.

Mimo to polskich producentów trudno przekonać do niestandardowych pomysłów.

– Slogany są zawsze efektem trudnego kompromisu między agencją reklamową a klientem – mówi Michał Nowosielski, dyrektor kreatywny agencji reklamowej Publicis. Efektywny slogan reklamowy nie musi mówić w samych superlatywach o produkcie. Małe wady tylko dodają wiarygodności – mówią specjaliści.

Tak samo mocno jak w „numer 1" polscy biznesmeni wierzą w starą prawdę, że seks sprzedaje najlepiej. W ten sposób sprzedaje się już nawet margarynę. Ostatnio kawę z mlekiem i cukrem. – Zapamiętałem plakat i slogan, ale w ogóle nie pamiętam marki tej kawy – mówi prof. Dariusz Doliński, psycholog społeczny. Czasem warto pamiętać, by reklamując kawę, pomyśleć też o kupujących.

„Newsweek" 2003, nr 47

2d Pracując w grupach, proszę podać – inne niż w artykule – cechy dobrego sloganu.

Powinien być krótki.
Powinien...

Kupuj tylko u nas!

● Gramatyka

MIEJSCE ZAIMKA *się* W ZDANIU PRZECZĄCYM

On **się** nigdy <u>nie budzi</u> wcześnie rano.
On nigdy **się** <u>nie budzi</u> wcześnie rano.
On nigdy <u>nie budzi</u> **się** wcześnie rano.

zaimek *się*

– zwykle występuje w środku zdania
– rzadko na końcu zdania
– nigdy na początku zdania

My się nigdy nie spotykamy. / My nigdy nie spotykamy się. (rzadko)

UWAGA!

Zaimek *się* nie może rozdzielać słowa *nie* od formy czasownika, może wystąpić przed lub po nich, tzn. nie jest możliwa struktura:

~~*nie + się + forma czasownika*~~

3a Proszę przeczytać fragmenty poniższych reklam i – jeśli to konieczne – dokonać w nich korekty gramatycznej:

0. Nie się mówi o tym.   *Nie mówi się o tym.*
1. Nie się bój mówić o bólu!   ....
2. Nie czujesz młodo się?   ....
3. Nic nie się dzieje?   ....
4. Nie zastanawiaj się dłużej!   ....
5. Nie się lubisz opalać?   ....

3b Proszę poprawić poniższe zdania, a następnie podać ich zaprzeczenia. Proszę pamiętać, że *się* nie może oddzielać słowa *nie* od formy czasownika, może wystąpić przed lub po nich.

0. Uczę polskiego się.
...............*Uczę się polskiego.* > *Nie uczę się polskiego.*...............

1. Się łatwo czyta.
.... > ....

2. Ciesz życiem się!
.... > ....

3. Przed się użyciem skonsultuj z lekarzem lub farmaceutą.
....
> ....

4. Wszystko stanie proste się.
.... > ....

5. Spotykasz z nimi się dzisiaj?
.... > ....

4a Jakie produkty mogą być reklamowane za pomocą poniższych haseł? Które z nich wydają się Państwu najbardziej skuteczne? Proszę uzasadnić swoją opinię.

Twoi koledzy już to mają.

Dodatek specjalny.

Oferta promocyjna.

Ciekawe tematy artykułów.

PRODUKT EKSKLUZYWNY.

Wyprzedaż.

PRZEKONYWANIE, NAMAWIANIE

– Kup teraz! / Zamów jeszcze dzisiaj! / Zadzwoń! / Przyjdź do nas!

– Nie czekaj! / Nie szukaj więcej! / Nie przepłacaj!

– Najlepszy ze wszystkich! / Najnowszy... / Najtańszy... / Najszybszy...

– Tylko dla Ciebie! / Dla Twojej rodziny! / Dla każdego! / Dla Twojego zdrowia!

– Dzisiaj. / Aktualny. / Jedyny. / Wyjątkowy.

4b Jakich argumentów może Pan / Pani użyć, będąc w poniższych sytuacjach? Proszę napisać swoje propozycje.

1. Namawia Pan / Pani przechodniów do kupna dzisiejszej gazety.

....

2. Poleca Pan / Pani koledze / koleżance płytę z muzyką etniczną.

....

3. Doradza Pan / Pani koledze / koleżance zakupy w sklepie z ekologiczną żywnością.

....

4. Poleca Pan / Pani koledze / koleżance swoją debiutancką książkę.

....

5. Jest Pan / Pani sprzedawcą w salonie samochodowym. Chce Pan / Pani sprzedać dużej rodzinie sportowy, dwuosobowy kabriolet.

....

6. Namawia Pan / Pani klienta / klientkę do zakupu dwumetrowego węża.

....

5a Proszę, pracując w grupach, zebrać jak najwięcej słów związanych z Unią Europejską i wpisać je do diagramu.

UNIA
EUROPEJSKA

5b Proszę z ćwiczenia 5a wybrać te słowa, których można użyć w tekście reklamującym Unię. Pracując w grupach, proszę napisać hasło reklamujące Unię Europejską, przedstawiające jej idee. Proszę pamiętać o regułach tworzenia sloganów.

....
....
....
....

6a Proszę szybko przeczytać poniższe opisy, a następnie połączyć je z odpowiednimi symbolami.

a)
Ten znak znajduje się na produktach „przyjaznych środowisku". Symbolizuje fazy procesu recyklingu. Nie jest typową marką handlową. Student Gary Anderson wymyślił go na konkurs z okazji Dnia Ziemi.

b)
Każdy, kto jeździ samochodem, zna ten znak. Jest to międzynarodowy symbol zakazu wjazdu w kolorze czerwonym i białym.

c)
W kulturze Dalekiego Wschodu to znak łączący dobro i zło, energię męską i żeńską.

d)
Ten znak ma już ponad sto lat. Jest symbolem organizacji pomagającej rannym i chorym.

e)
Znak symbolizujący kraje członkowskie organizacji, do której Polska należy od 1 maja 2004 roku.

3 ☐

4 ☐

5 ☐

2 ☐

6b Jaki inny popularny symbol Pan / Pani zna? Proszę przygotować jego opis, a następnie przedstawić go na forum grupy. Zadaniem grupy jest jego odgadnięcie.

....
....
....
....
....

1 ☐

lekcja
16

7a Proszę wysłuchać nagrania i zaznaczyć, czy poniższe zdania są prawdziwe (P) czy nieprawdziwe (N). Nagranie zostanie odtworzone dwukrotnie.

CD
56

0. Plakaty pochodzą z dziewiętnastego wieku.   P / Ⓝ

1. W Sopocie jest wystawa plakatów rosyjskich i radzieckich.   P / N

2. Na plakatach najciekawiej przedstawione jest codzienne życie obywateli
Związku Radzieckiego.   P / N

3. Reklama witaminy C pochodzi z 1960 roku.   P / N

4. Reklamowane są markowe produkty.   P / N

5. Plakaty w Związku Radzieckim miały duże znaczenie.   P / N

6. Autorami plakatów byli znani socjalistyczni malarze.   P / N

7. Wystawę będzie można oglądać w kilku miastach Polski.   P / N

 7b Pracując w grupach, proszę przygotować, a następnie zaprezentować na forum grupy plan kampanii reklamowej „Rower – wehikuł przyszłości".

Proszę wziąć pod uwagę następujące elementy:

– Jaki będzie slogan?
– Do kogo adresowana jest ta kampania?
– Gdzie będą reklamy – w radiu, telewizji, prasie?
– Jak będzie wyglądać plakat reklamowy?

● Słownictwo

Idiomy

8a Proszę sprawdzić znaczenie poniższych wyrażeń w słowniku frazeologicznym, a następnie dopasować ich polskie definicje.

1. *chwyt reklamowy*
2. *nabić kogoś w butelkę*
3. *wpaść w ucho*

a) oszukać, okłamać kogoś
b) informacja, która ma zachęcić do kupna, nie zawsze prawdziwa, np. 50% gratis!
c) łatwe do zapamiętania, np. melodia

 8b Proszę odpowiedzieć na pytania.

• Jakie Pan / Pani zna chwyty reklamowe?
• Czy kiedyś został Pan nabity / została Pani nabita w butelkę?
• Jakie melodie łatwo wpadają w ucho?

Część C. Rozumienie tekstów pisanych

I **Proszę przeczytać tekst** *Klient idealny* **i zaznaczyć, które z poniższych zdań to: prawda (P) lub nieprawda (N).**

Klient idealny

Niedawno były 75. urodziny Myszki Miki. Na Florydę 18 listopada zjechali goście z całego świata. (...) Filmy, komiksy, zabawki, koszulki z myszką oglądają i kupują miliony ludzi, a w ogromnych parkach rozrywki bawią się całe rodziny.

5 Strategia Walta Disneya „od kołyski aż po grób" święci triumfy. Dziecko stało się najcenniejszym klientem XXI wieku. Zabiegają o nie nawet te firmy, które do tej pory produkowały tylko dla dorosłych. Siedem największych japońskich koncernów – m.in. Toyota, Panasonic, National – stworzyło wspólną markę „Wil" dla młodego klienta. Z ba-
10 dań dr Barbary Olsen, amerykańskiej psycholog, wynika, że 80 proc. klientów pozostaje wiernych markom poznanym w dzieciństwie.

Polskie firmy też zaczęły realizować disneyowską strategię, np. firma LPP wprowadza na rynek w marcu markę dla dzieci – Cropp; Agros Fortuna – sok Pysio, a koncerny mięsne zaczęły sprzedawać wędliny
15 dla dzieci. Ulubione przez dzieci postaci z bajek i filmów są w reklamach telewizyjnych i na billboardach. Nawet producenci odtwarzaczy CD, telewizorów, komputerów, komórek czy samochodów próbują zainteresować małych klientów. I nie ma się co dziwić, Instytut Rynku Wewnętrznego i Konsumpcji sprawdził, że ponad 45 proc. dzieci
20 radzi rodzicom przy zakupie komputerów i sprzętu elektronicznego, a około 7 proc. przy wyborze samochodu. (...)

„Newsweek" 2003, nr 49

0.	Myszka Miki świętowała 75. urodziny.	Ⓟ/ N
1.	Przyjęcie urodzinowe Myszki Miki odbyło się w Kalifornii.	P / N
2.	Myszka Miki jest symbolem wielkiego biznesu.	P / N
3.	Dziecko jest nowym klientem dla wielu firm.	P / N
4.	Siedem japońskich koncernów stworzyło razem markę dla dzieci.	P / N
5.	Większość klientów nie zmienia ulubionych marek z dzieciństwa.	P / N
6.	Polskie firmy są zainteresowane klientami-dziećmi.	P / N
7.	Firmy produkujące dla dorosłych nie tworzą nowych produktów dla dzieci.	P / N
8.	„Pysio" to nazwa polskiego soku.	P / N
9.	Dzieci pomagają rodzicom w wyborze produktów najnowszych technologii.	P / N
10.	Większość rodziców wybiera samochód razem z dziećmi.	P / N

II **Proszę poukładać podane fragmenty tekstu w logicznej kolejności.**

1 Prawie połowa dzieci w wieku 10 – 14 lat woli kupować produkty znanych firm,

a reklama ma mniejsze znaczenie.

W tych grupach produktów prawie 60 proc. młodych ankietowanych wylicza swoje ulubione firmy.

3 wynika z badania ARC Rynek i Opinia, SFeRa modern media solutions i Fox Kids Europe.

Największe znaczenie marka ma w przypadku ubrań, butów, sprzętu grającego i napojów.

a aż 41 procent z nich deklaruje, że o kupnie produktu decydują same –

Dzieci deklarują, że przy wyborze marki kierują się głównie zdaniem kolegów i rodziców,

8 To tylko deklaracje. Wpływ reklamy na postrzeganie wyrobu jest przez respondentów zawsze zaniżany – uważa dr Dominika Maison, psycholog społeczny.

„Newsweek" 2003, nr 38

lekcja

17

Sytuacje komunikacyjne wyrażanie upodobania, wyrażanie krytyki i reagowanie na krytykę

Słownictwo kultura, rozrywka Idiomy: *widać rękę artysty, świecić pustkami, połknąć bakcyla, coś otwiera drzwi do kariery*

Gramatyka i składnia miejscownik po wyrażeniach przyimkowych, określających przedmiot, o którym się mówi

Część egzaminacyjna Część D. Pisanie

Kultura

 1 Poniższe fragmenty artykułów znaleziono na stronach internetowych www.gazeta.pl/kultura. Proszę dopasować brakujące fragmenty tekstu.

a) ... sztuki poznali się na czacie o samobójstwach.

b) ... tych wierszy tkwi w nagłym zderzaniu „wysokiego" z „niskim".

c) ... sama zbudować dom, przenosi się z Warszawy na wieś i odnosi sukces jako reporterka.

d) ... jednej z najważniejszych w polskim hip-hopie, płyty *Światła miasta* minęły już trzy lata.

e) ... znany też pod tytułem *Nalot* albo *Alarm* z 1955 roku, podczas aukcji w Polskim Domu Aukcyjnym „Sztuka" w Warszawie.

f) ... programu odbyła się 1 grudnia 1999 roku w kawiarni artystycznej lubelskiego klubu Hades. Zagrali go sześć razy. W grudniu 2000 roku pojechali na III Ogólnopolski Festiwal Kabaretów Studenckich „Wyjście z cienia" do Gdańska.

g) ... sprzed 70 tysięcy lat. Nieistniejący już świat przedstawiono nie chronologicznie, a problemowo.

h) ... w pamięci i świadomości nowych pokoleń dorobku i kultury Żydów polskich służyć ma właśnie festiwal.

1 *Norway. Today*

Igora Bauersimy w reżyserii Piotra Łazarkiewicza w teatrze Stara Prochownia w Warszawie. Bohaterowie ..a..

2 Nowy warszawski Festiwal Filmów Żydowskich w kwietniu

Władysław Bartoszewski i Szymon Peres mają przewodniczyć komitetowi honorowemu Warszawskiego Międzynarodowego Festiwalu Filmów Żydowskich, który odbędzie się w Warszawie od 18 do 27 kwietnia.

Warszawa ma wyjątkowe związki z kulturą żydowską. To tutaj do II wojny światowej istniała największa na świecie żydowska wspólnota i społeczność. Tutaj powstawały pierwsze filmy w języku jidysz. Wymordowani przez hitlerowców w czasie wojny Żydzi prawie zniknęli z polskiej ziemi. Zachowaniu .....

[ces]

3 Grammatik *Reaktywacja*

Po solowych przygodach Eldo i Juzek znów nagrywają. Od ostatniej, ... Choć *Reaktywacja* jest tylko epką (trwa 21 minut), a nie pełnym albumem, jednak warto po nią sięgnąć.

[Ł. Kamieński]

4 NIKE 2003 dla Jarosława Marka Rymkiewicza

Tom wierszy *Zachód słońca w Milanówku* Jarosława Marka Rymkiewicza, symboliczna opowieść o przydomowym ogrodzie poety, zdobył tegoroczną Nagrodę Literacką NIKE – Największa tajemnica ..... – pisał Marek Radziwon.

5 Kabaret Ani Mru Mru w Rybniku, Bytomiu i Gliwicach

Kabaret Ani Mru Mru, czyli Marcin Wójcik, Michał Wójcik i Waldemar Wilkołek, wystąpi we wtorek w Rybniku, w środę w Bytomiu i w czwartek w Gliwicach.

Premiera ich pierwszego ..... Występowali także na „Pace", „Mulatce", „Lidzbarskich Biesiadach Humoru i Satyry".

Spektakle będą rozpoczynać się o godz. 17.30 i 20. Bilety kosztują 35 zł.

www.gazeta.pl

6 Pradzieje i wczesne średniowiecze Małopolski – Muzeum Archeologiczne

Nowa stała wystawa w Muzeum Archeologicznym „Pradzieje i wczesne średniowiecze Małopolski" to wyprawa w rzeczywistość Małopolski ...... Ekspozycję można oglądać od 12 marca.

[A. Bugajska]

7 *Nigdy w życiu!*

Polska 2000; obyczajowy
Reżyser: Ryszard Zatorski
Obsada: Danuta Stenka, Artur Żmijewski, Joasia Jabłczyńska, Jan Frycz
Premiera: 13 lutego 2004
Dystrybutor: Studio Interfilm / ITI Cinema

Judyta, matka nastoletniej Tosi, po rozstaniu z mężem rozpoczyna nowe życie. Postanawia .....

8 490 tys. za obraz Andrzeja Wróblewskiego na aukcji w Warszawie

Wczoraj za 490 tys. zł sprzedano obraz Andrzeja Wróblewskiego *Uwaga, nadchodzi* ..... Cena wywoławcza wynosiła 450 tys. To rekord. Do tej pory najdrożej sprzedany obraz Wróblewskiego to *Matka z zabitym dzieckiem* sprzedany w grudniu zeszłego roku za 470 tys.

2* Proszę przeczytać 8 definicji, zastanowić się, co opisują i dopasować je do słów z ramki:

1. *artysta* .... – człowiek tworzący dzieła sztuki, twórca; także człowiek odtwarzający je; potocznie o aktorze.

2. .... – to co służy odprężeniu, co daje odpoczynek, co bawi, rozwesela.

3. .... – całokształt dorobku ludzkości, wytworzonego w ogólnym rozwoju historycznym lub w jego określonej epoce.

4. .... – twórczość artystyczna, której wyrazem są dzieła z zakresu literatury, muzyki, malarstwa, rzeźby itp., odpowiadające wymaganiom piękna, harmonii, estetyki.

> kultura   subkultura
> rozrywka   masowy
> wydarzenie ✓artysta
> sztuka   widz

5. .... – wzory, zasady, normy zwyczajowe przyjęte i obowiązujące w grupie społecznej stanowiącej część większej zbiorowości, odmienne od wzorów, zasad, norm zwyczajowych przyjętych przez ogół społeczeństwa.

6. .... – 1. to co się stało; wypadek; przypadek; zdarzenie. 2. ważne albo wybitne osiągnięcie w jakiejś dziedzinie.

7. .... – obejmujący dużą liczbę jednostek, przeznaczony dla szerokiego ogółu, dla mas ludzkich.

8. .... – 1. osoba oglądająca jakieś widowisko. 2. osoba przyglądająca się czemuś; obserwator.

Słownik współczesnego języka polskiego, red. B. Dunaj
Warszawa 1996

3 Proszę podkreślić właściwą odpowiedź:

1. Kultura wysoka adresowana jest do:
   a) ludzi, którzy szczególnie interesują się daną dziedziną sztuki,
   b) szerokiej publiczności.

2. Kultura masowa (popkultura) jest przeznaczona
   a) dla szerokiej publiczności i ma charakter komercyjny,
   b) dla wąskiej grupy odbiorców – elity intelektualnej.

3. Subkultura to:
   a) dziedzina kultury i sztuki skierowana do wąskiej grupy odbiorców,
   b) model życia odbiegający od norm społecznych.

4. Wydarzenie artystyczne:
   a) jest szeroko komentowane przez media,
   b) może, ale nie musi być komentowane przez media.

5. Wydarzenie medialne:
   a) cieszy się zainteresowaniem mediów i szerokiej publiczności,
   b) ma charakter artystyczny.

6. Rozrywka to:
   a) rodzaj twórczości artystycznej,
   b) to, co służy zabawie i odpoczynkowi.

4 **Proszę odpowiedzieć na poniższe pytania.**

Które z wydarzeń przedstawionych w ćwiczeniu 1:
a) należą do kultury wysokiej,
b) należą do podkultury,
c) były wydarzeniem artystycznym,
d) służą tylko rozrywce.

5 **Jaki charakter mają poniższe wydarzenia? Proszę uzupełnić tabelę.**

	kultura wysoka	kultura masowa	subkultura	wydarzenie artystyczne	wydarzenie medialne	rozrywka
Koncert Chopinowski	X	☐	☐	X	☐	☐
Rozdanie Oscarów	☐	☐	☐	☐	☐	☐
MTV Music Awards	☐	☐	☐	☐	☐	☐
Wieczór Kabaretowy	☐	☐	☐	☐	☐	☐
Festiwal Kultury Żydowskiej	☐	☐	☐	☐	☐	☐
Premiera *Makbeta*	☐	☐	☐	☐	☐	☐
Przedstawienie cyrkowe	☐	☐	☐	☐	☐	☐
Wystawa malarstwa	☐	☐	☐	☐	☐	☐
Koncert zespołu hip--hop	☐	☐	☐	☐	☐	☐
Premiera superprodukcji filmowej	☐	☐	☐	☐	☐	☐
Ruch hipisowski	☐	☐	☐	☐	☐	☐
Festiwal Woodstock	☐	☐	☐	☐	☐	☐
Wystawa fotografii	☐	☐	☐	☐	☐	☐
Koncert rockowy	☐	☐	☐	☐	☐	☐

6 Proszę przygotować w parach ankietę (5 pytań w każdej kategorii), która ma zbadać zainteresowania innych studentów. Następnie proszę przeprowadzić ankietę w grupie i podsumować rezultaty.

1. Literatura
   a) Ile książek przeczytał / przeczytała w ciągu ostatniego miesiąca?
   b) Jakie książki lubi?
   c) Jakich książek nigdy nie czyta?
   d) ...
2. Muzyka
3. Malarstwo
4. Kino
5. Teatr

 7a Proszę wysłuchać wypowiedzi 5 osób, a następnie uzupełnić poniższą tabelę.

C D
57–61

W jednym z warszawskich kin odbyła się premiera adaptacji filmowej sztuki znanego polskiego dramaturga. Jeszcze na długo przed premierą film był na ustach wszystkich, dużo mówiło się o nim w mediach. Dziennikarka pyta wychodzące z kina osoby o wrażenia i opinie o filmie.

	osoby	podobał mu / jej się film	nie podobał mu / jej się film	trudno powiedzieć, czy podobał mu / jej się film	jego / jej opinia o filmie
dialog 1	kobieta	X	☐	☐	
dialog 2	chłopak	☐	☐	☐	
dialog 3	mężczyzna	☐	☐	☐	
dialog 4	dziewczyna	☐	☐	☐	
	chłopak	☐	☐	☐	*film jest wierną adaptacją sztuki*
dialog 5	mężczyzna	☐	☐	☐	

7b Wypowiedzi osób zostały wymieszane. Proszę wysłuchać nagrania po raz drugi, a następnie wraz z kolegą / koleżanką uzupełnić dialogi.

CD 57–61

a) Piękny! Piękny! Naprawdę nie wierzyłam, że można zrobić taki udany film na podstawie sztuki teatralnej!

b) Szkoda czasu!

c) W sumie tak... przynajmniej mam to z głowy!

d) Żartujesz! W kinie nie ma takiej atmosfery, jak w teatrze!

e) Jestem krytykiem filmowym, to mój obowiązek.

f) Wszystko: kostiumy, scenografia, gra aktorów... No po prostu jestem zachwycona!

g) Zdaję sobie sprawę z tego, że film nie wszystkim będzie się podobał, ale ze swojej strony nie mam uwag.

h) Ojciec miał bilety... Zresztą to moja lektura szkolna, nie będę musiał już czytać.

i) O, to normalne! On ma zawsze inne zdanie na każdy temat!

j) Nie bardzo... Nie lubię filmów kostiumowych. Nie podobało mi się też to, że aktorzy mówią wierszem. Ale szczerze mówiąc, nie spodziewałem się, że film mi się spodoba.

k) Ja po prostu nie rozumiem, po co przenosić sztukę teatralną na ekran? Nigdy nie widziałem udanej adaptacji.

l) Trudno powiedzieć... Pod pewnymi względami mi się podobał: na przykład kostiumy – bardzo odważne, ale interesujące. Ale generalnie nudny.

ł) Znakomita adaptacja, naprawdę wszystkim polecam. Przede wszystkim, jeśli chodzi o reżyserię, widać rękę artysty: rewelacyjna obsada, doskonałe tempo, scenografia...

m) Jak możesz tak mówić! Film jest wierną adaptacją sztuki, niczym się nie różni od przedstawienia w teatrze.

Dialog 1

Dziennikarka: Przepraszam, jak się pani podobał film?

Kobieta: ..ł..

Dziennikarka: A co szczególnie się pani podobało?

Kobieta: .....

Dialog 2

Dziennikarka: A tobie podobał się film?

Chłopak: .....

Dziennikarka: To dlaczego przyszedłeś na premierę?

Chłopak: .....

Dziennikarka: No więc powinieneś być zadowolony.

Chłopak: .....

Dialog 3

Dziennikarka: A pan, co pan myśli o filmie?

Mężczyzna: .....

Dziennikarka: O, to naprawdę ostra ocena. Dlaczego pan tak uważa?

Mężczyzna: .....

Dziennikarka: Dlaczego w takim razie przyszedł pan na premierę?

Mężczyzna: .....

Dialog 4

Dziennikarka: Jak wam się podobał film?

Dziewczyna: .....

Chłopak: .....

Dziewczyna: .....

Dziennikarka: Widzę, że zdania są podzielone...

Dziewczyna: .....

Dialog 5

Dziennikarka: Jak wrażenia z filmu?

Mężczyzna: .....

Dziennikarka: Żadnych uwag krytycznych?

Mężczyzna: .....

● Słownictwo

PYTANIE O OPINIĘ
- Jak się panu / pani podobał ...? Jak ci / wam się podobał...?
- Co pan / pani myśli o...? Co myślisz / myślicie o...?
- Jakie ma pan / pani / masz wrażenia ? Jak wrażenia z...?

WYRAŻANIE
UPODOBANIA
- Podoba mi się to!
- Podoba mi się (to), że...
- To (jest) bardzo ładne / piękne / interesujące!
- Jestem zachwycony / zachwycona!
- Naprawdę nie wierzyłem / wierzyłam, że...
- Nie spodziewałem się / spodziewałam się, że...

WYRAŻANIE
OBOJĘTNOŚCI
- Trudno powiedzieć.
- Sam / sama nie wiem.
- Nie mam zdania.

KRYTYKA
- Nie podoba mi się to!
- Nie podoba mi się (to), że...
- To okropne / straszne!
- Szkoda czasu! Szkoda słów! Szkoda gadać!
- Naprawdę nie rozumiem, po co...

ODPOWIEDŹ NA
KRYTYKĘ
- Jak może pan / pani / możesz tak mówić!
- Nie rozumiem pana / pani / cię! Nie rozumiem...
- (Chyba) pan / pani żartuje! / żartujesz!
- Nie wiem, o co panu / pani chodzi!

8 Proszę przeczytać dialogi i uzupełnić je zwrotami z powyższej tabeli.

A.
- Jak ..*ci się podobała*.. wystawa?
- Byłam ....! To naprawdę świetny artysta. A ty, jakie .... z wystawy?
- Nie .... się, że będzie tak dobra!

B.
- Podobno byliście w kabarecie. Jak ....?
- .... Nie byłam zachwycona, ale w sumie nie był taki zły.

C.
- Słyszałam, że wybierasz się do teatru na tę popularną sztukę?
- Zgadza się.
- Nie idź! Naprawdę ....!
- Ale dlaczego?
- ....! Trzy godziny nudy.
- ....! Czytałam, że to świetny spektakl!

D.
- Idziemy na ten koncert?
- Chyba ....! Nigdy w życiu nie dam się namówić na ten koncert!
- Ale dlaczego?
- Ta ich muzyka jest po prostu okropna!
- Nie wiem ....! To świetny zespół!

9 Proszę wspólnie z kolegą / koleżanką wybrać jedną z poniższych notatek o wydarzeniach artystycznych lub medialnych. Proszę wyobrazić sobie, że byli Państwo świadkami tego wydarzenia, a następnie ułożyć dialog, w którym opowiadają Państwo o swoich wrażeniach. Proszę odegrać przygotowaną wspólnie scenkę.

Skandal w galerii

W warszawskiej Zachęcie wystawiono rzeźbę Maurizia Cattelana przedstawiającą Papieża przygniecionego meteorytem. Poseł prawicy, Witold Tomczak, uznał to za profanację uczuć religijnych i usunął kamień z figury Papieża.

Nobel 2003 dla Johna Maxwella Coetzee

John Maxwell Coetzee, południowoafrykański pisarz, został uhonorowany tegoroczną nagrodą Nobla w dziedzinie literatury. W uzasadnieniu Szwedzkiej Akademii, która przyznaje tę nagrodę, napisano, że utwory 63-letniego pisarza odznaczają się „analityczną błyskotliwością i wymownymi dialogami".

American Music Awards

9 stycznia odbyła się w Los Angeles kolejna ceremonia rozdania nagród muzycznych American Music Awards. Zmarła tragicznie, w sierpniu ubiegłego roku, Aaliyah została pośmiertnie wyróżniona w kategoriach Ulubiona artystka soul oraz Ulubiony album soul.

Pianista Romana Polańskiego dostał Złotą Palmę w Cannes!

Pianista Romana Polańskiego, opowiadający historię polskiego pianisty Władysława Szpilmana, zdobył Złotą Palmę 55. Międzynarodowego Festiwalu w Cannes. Faworyzowany przez krytyków film *Człowiek bez przeszłości* fińskiego reżysera Aki Kaurismakiego zdobył Grand Prix Jury.

ROBBIE WILLIAMS, SKIN,
06.11.2003, Katowice, Spodek

Koncert w Katowicach, zorganizowany w ramach tournee „Escapology Tour", okazał się komercyjnym strzałem w dziesiątkę – wszystkie bilety zostały wyprzedane na kilka dni przed wydarzeniem. Dawno nie widziano tu takich tłumów!

mówić opowiadać	o + miejscownik	o tym, że... o tym, jak... o tym, co...
	Film opowiada o przyjaźni.	*Film opowiada o tym, jak ważna jest przyjaźń.*

10a Proszę streścić fragmenty tekstu, używając zwrotów z powyższej tabeli.

1. *Prosta historia* Davida Lyncha: pewien starszy człowiek wyrusza w podróż, aby odwiedzić swojego dawno niewidzianego brata.

a) *„Prosta historia" opowiada o podróży pewnego starszego człowieka.* ....

b) *„Prosta historia" opowiada o tym, jak pewien starszy człowiek wyrusza w podróż,* ....
aby odwiedzić swojego dawno niewidzianego brata. ....

2. *Czarodziejska Góra* Tomasza Manna: Hans Castorp wyjeżdża w odwiedziny do swojego kuzyna Joachima, który przebywa w sanatorium dla gruźlików w Davos. Castorp ma tam spędzić trzy tygodnie. Jego pobyt potrwa 7 lat.

a) ....
....

b) ....
....

3. *Kiedy Harry poznał Sally* Roba Reinera: Harry i Sally poznają się w drodze do Nowego Jorku. Na początku się nie lubią, jednak po kilku latach zostaną przyjaciółmi. W końcu połączy ich miłość.

a) ....
....

b) ....
....

4. *Pani Bovary* Gustawa Flauberta: małżeństwo Emmy Bovary nie jest szczęśliwe. Młoda kobieta marzy o miłości. W końcu odnajdzie mężczyznę swojego życia, jednak to uczucie okaże się tragiczne.

a) ....
....

b) ....
....

5. *Schmidt* Alexandra Payne'a: pewien mężczyzna przechodzi na emeryturę. Jego żona wkrótce umiera i bohater zaczyna rozumieć, że jest samotny, a jego życie nie ma sensu. Postanawia odwiedzić córkę.

a) ....
....

b) ....
....

10b Każdy pisze na karteczce tytuł znanego filmu i oddaje ją nauczycielowi. Po wylosowaniu kartki, proszę opowiedzieć krótko treść filmu. Grupa zgaduje, o jakim filmie Pan / Pani mówi.

To jest historia dwóch młodych kobiet, które postanowiły wyjechać razem na weekend...

Thelma i Louise

Idiomy

 11a Proszę przeczytać tekst, a następnie odpowiedzieć na poniższe pytania.

Ostatni film Karola Koperka nie spodobał się ani widzom, ani krytykom. Zaraz po premierze ukazały się pierwsze recenzje, niestety bardzo negatywne. „Co się stało z Koperkiem? – zastanawiali się krytycy – W każdym z jego poprzednich filmów widać było rękę artysty, każdy był prawdziwym dziełem sztuki, świetnie wyreżyserowanym i wspaniale zagranym przez aktorów". Mówiło się, że Koperek potrafi zrobić głęboki dramat psychologiczny z najbanalniejszej historii miłosnej, tymczasem jego ostatni film jest zwykłą komedyjką romantyczną w stylu hollywoodzkim. Być może reżyser liczył na sukces komercyjny, ale i to się nie udało. Minął miesiąc, odkąd film wszedł na ekrany, a sale kinowe ciągle świecą pustkami – obejrzało go do tej pory niecałe 5 000 widzów.

Karol Koperek nazywany był nadzieją polskiego kina. Jego przygoda z filmem zaczęła się jeszcze w liceum, kiedy to razem z kilkoma kolegami założył Grupę Cine-Art i zaczął kręcić etiudy filmowe. Wtedy połknął bakcyla i postanowił zdawać na studia do Szkoły Filmowej. Potem były nagrody na festiwalach amatorskich i wreszcie znakomicie przyjęty przez krytykę debiut filmowy, który otworzył mu drzwi do kariery. Karol Koperek zaczął odnosić sukcesy w Polsce i za granicą, aktorzy marzyli o tym, żeby zagrać chociaż epizod w jednym z jego filmów, widzowie godzinami czekali pod kinem w kolejce po bilety. I nagle rozczarowanie.

Pozostaje tylko mieć nadzieję, że Koperek wróci do formy, a jego następny film będzie tak samo dobry, a może lepszy, niż poprzednie.

1. Jak Pan / Pani myśli, dlaczego Koperek postanowił nakręcić film w stylu hollywoodzkim?
2. Co będzie dalej z jego karierą?

11b Co oznaczają poniższe wyrażenia?

Widać było rękę artysty.
- Koperek zaangażował do filmu znanych artystów.
- Koperek jest artystą.

Sale kinowe *świecą pustkami.*
- Na film Koperka przychodzi mało osób.
- Kina nie wyświetlają już filmu Koperka.

Połknął bakcyla.
- Kiedy Koperek był w liceum, zaraził się bardzo groźną chorobą.
- W czasie nauki w liceum Koperek bardzo zainteresował się kinem.

Debiut filmowy *otworzył mu drzwi do kariery.*
- Po udanym debiucie filmowym krytycy i widzowie zainteresowali się Koperkiem. Tak zaczęła się jego kariera.
- Debiut filmowy był największym sukcesem Koperka.

 11c Proszę wymienić sytuacje, w jakich możemy użyć tych wyrażeń. Proszę napisać tekst, w którym użyją Państwo przynajmniej dwu poznanych idiomów.

- *widać rękę artysty*
- *świecić pustkami*
- *połknąć bakcyla*
- *otworzyć drzwi do kariery*

Część D. Pisanie

Proszę wybrać jeden z zestawów i wykonać oba polecenia.

Zestaw 1

1. Był Pan / była Pani świadkiem wydarzenia artystycznego (festiwal, wystawa, koncert). Proszę napisać krótki komentarz. (20 słów)

2 „Gdyby nie było telewizji..." – proszę napisać tekst argumentacyjny. (180 słów)

Zestaw 2

1. Proszę napisać streszczenie fragmentu książki Adrianny Ginał i Anny Szulc *Stacja Kraków*. (20 słów)

Wstęp

Pomysł tej książki narodził się z ciekawości tego, jaka właściwie jest ludzka topografia Krakowa. Kto kogo zna? Lub nie zna? Choć to w Krakowie prawie niemożliwe. Tu wszyscy się znają albo poznają za chwilę. Może dlatego, że Rynek, do którego prowadzą wszystkie krakowskie drogi, jest wielkim placem towarzyskich spotkań. I sceną, na której rozgrywają się ludzkie tragedie i komedie. Może dlatego, że w podobną scenę zamienił się także krakowski Kazimierz...

Chciałyśmy dowiedzieć się, co od wieków przyciąga do Krakowa ludzi z różnych stron kraju i świata. Dlaczego kupili bilet w jedną stronę i zatrzymali się właśnie na tej stacji? Czy to Kraków stwarza wielkie osobowości, czy może raczej osobowości tworzą charakter miasta i naznaczają je swą obecnością?

---

2. Warto czytać – proszę napisać krótką rozprawkę. (180 słów)

Zestaw 3

1. Był Pan / była Pani na koncercie, który bardzo się Panu / Pani podobał. Proszę napisać krótką relację z tego wydarzenia. (20 słów)

2. Co zmieniło się w życiu ludzi przez ostatnie 100 lat? Proszę napisać tekst argumentacyjny. (180 słów)

lekcja
18
Sytuacje komunikacyjne Powtórzenie: formułowanie pytań i hipotez
Słownictwo religia i wiara
Gramatyka i składnia odmiana zaimków pytajnych *jaki*, *który*, *czyj*, odmiana rzeczownika *ksiądz* Powtórzenie: tryb warunkowy
Część egzaminacyjna Część D. Pisanie

W co wierzysz?

1 Proszę opowiedzieć, co przedstawia poniższe zdjęcie, a następnie odpowiedzieć na pytania poniżej.

1. Na co patrzą ci ludzie?
2. Jaki to ma kształt? Do czego jest to podobne?
3. Który z elementów jest najbardziej tajemniczy? Dlaczego?
4. O czym Pan / Pani myśli, kiedy patrzy Pan / Pani na ten obiekt?
5. Jak nazwałby go Pan / nazwałaby go Pani?

2 Proszę przeczytać poniższy tekst, a następnie zaznaczyć poprawną odpowiedź:

Teolog patrzy na MARSA

Radio Watykańskie nadało wypowiedź astronoma ks. Sabino Maffeo. Kościelny uczony z centrum astronomicznego w Castel Gandolfo podkreślił, że teologia bada fakty, a nie hipotezy, ale nie uchylił
5 się od komentarza dotyczącego możliwych skutków odkrycia w kosmosie inteligentnego życia. Włoski jezuita jest zdania, że z kosmitami należałoby rozmawiać, poznać ich dzieje i duchowość (...). Dwie rzeczy są dla niego pewne: żywe istoty pozaziem-
10 skie byłyby stworzeniami Bożymi (...).
Te deklaracje dobrej woli wobec ET (ang. Extraterrestrial – w domyśle – pozaziemska inteligencja) są znakiem czasu. Nie ma dziś w kościołach chrześcijańskich poważnych ludzi, którzy lękaliby się „bliskich spo-
15 tkań trzeciego stopnia". (...)
Wpatrując się w nocne rozgwieżdżone niebo lub w fascynujące kolorowe fotografie przesłane z Marsa, nieraz tracimy pewność. (...) Dla wielu ludzi wizja Boga wędrującego w przestrzeni kosmicznej
20 w poszukiwaniu innych istot (...) jest trudna do przyjęcia.
Łatwiej może pogodzić się z nią wyznawcom buddyzmu, hinduizmu czy taoizmu – religii bezosobowego Jedynego Bóstwa – niż synom i córkom
25 trzech bliskowschodnich monoteizmów. Choć judaizm, chrześcijaństwo i islam można interpretować w duchu kosmicznym (...) – jednak na pewno nie wszyscy wyznawcy tych trzech religii wyrzekliby się chętnie tytułu ludu wybranego. Cieszyliby się
30 z pewnością ekumeniści, mormoni, no i wyznawcy różnych sekt ufologicznych (...).

„Polityka" 2004, nr

0. Istota pozaziemska to:

a) istota, która żyje na Ziemi,

b) istota, która żyje poza Ziemią,

c) istota, która żyje pod Ziemią.

1. Włoski jezuita jest zdania, że z kosmitami należałoby:

a) rozmawiać, jeść i spać,

b) nie kontaktować się,

c) rozmawiać, poznać ich dzieje i duchowość.

2. Tracimy pewność naszej wiary, kiedy:

a) patrzymy w niebo i oglądamy fotografie z Marsa,

b) patrzymy w niebo i słuchamy romantycznej muzyki,

c) oglądamy fotografie naszych rodziców.

3. Łatwiej zaakceptować wizję innej cywilizacji pozaziemskiej:

a) wyznawcom chrześcijaństwa i islamu,

b) wyznawcom buddyzmu i taoizmu,

c) wyznawcom chrześcijaństwa i buddyzmu.

● Gramatyka

3 Proszę sformułować pytania do zaznaczonych fragmentów tekstu z ćwiczenia 2.

0. *Czyją wypowiedź nadało Radio Watykańskie* ?

1. .... ?

2. .... ?

3. .... ?

4. .... ?

4 Proszę uzupełnić tabelę.

ODMIANA ZAIMKÓW PYTAJNYCH: *jaki, który, czyj*

liczba pojedyncza								
	rodzaj męski			**rodzaj żeński**			**rodzaj nijaki**	
mianownik	jaki	który	czyj	jaka		czyja	jakie		czyje
dopełniacz	jakiego		czyjego	jakiej	której		jakiego	którego	
celownik		któremu	czyjemu	jakiej			jakiemu		
biernik	jakiego / jaki	którego /	czyjego /		którą			które	
narzędnik	jakim	którym	czyim	jaką					
miejscownik	jakim		czyim		której	czyjej	jakim	którym	czyim

liczba mnoga					
	rodzaj męskoosobowy			**rodzaj niemęskoosobowy**	
mianownik	jacy	którzy	czyi	jakie	które
dopełniacz	jakich		czyich	jakich	których
celownik	jakim	którym			którym
biernik		których		jakie	
narzędnik	jakimi		czyimi		którymi	czyimi
miejscownik	jakich			jakich	

5 Proszę uzupełnić zdania podanymi zaimkami pytajnymi w odpowiedniej formie:

a) .... religią się interesujesz?

b) .... wyznania jest Twoja żona?

c) .... są mężczyźni w twoim kraju?

d) Z .... reakcjami spotkała się twoja prezentacja?

e) O .... problemach dyskutujecie?

> jaki   jaka   jakie
> jacy   jakie

a) O .... godzinie zaczyna się prezentacja?

b) .... religia ma najwięcej wyznawców?

c) W .... roku urodził się Chrystus?

d) Do .... miasta powinien pójść każdy muzułmanin?
Do Mekki czy do Medyny?

e) .... wyznawcy nie zaakceptowaliby łatwo nowej
pozaziemskiej cywilizacji?

> który   która   które
> którzy   które

a) .... opinia jest bardziej wiarygodna? Moja czy twoja?

b) Z .... zdaniem się zgadzasz? Z jego czy jej?

c) O .... wykładzie chcesz podyskutować? Profesora Nowaka
czy księdza Malinowskiego?

d) .... to są dzieci?

e) .... pomocy nie przyjął? Piotra czy Ewy?

> czyj   czyja   czyje

6 Proszę wysłuchać nagranej rozmowy i odpowiedzieć na pytania.

CD 62

1. Jakiego wyznania jest ta osoba?

....

2. Jakiego wyznania jest większość mieszkańców jej miasta i jej kraju?

....

3. Z jakimi problemami spotykają się wyznawcy tej religii?

....

4. Jak reagują na przykład dzieci w szkole na kolegów innego wyznania?

....

5. Jaka wygląda sytuacja w małżeństwach mieszanych?

....

7 Czy mógłby Pan / mogłaby Pani zmienić wyznanie? Z jakiego powodu? Proszę przedyskutować następujące
hipotetyczne sytuacje:

1. Pana żona / Pani mąż jest innego wyznania.

2. Dowiaduje się Pan / Pani, że istnieje życie
pozaziemskie, a Pana / Pani wyznanie mówi, że to
niemożliwe i że jest tylko jedna cywilizacja w całym
kosmosie.

3. Wyjeżdża Pan / Pani do kraju, gdzie ludzie są bardzo
nietolerancyjni. Planuje Pan / Pani zostać tam dłużej.

4. Dowiaduje się Pan / Pani, że Pana / Pani przodkowie
dawniej należeli do innego kościoła niż Pan i Pana /
Pani rodzice.

Gdyby moja żona była innego wyznania niż ja, zmieniłbym moją religię / nie zmieniłbym mojej religii, bo...

● Słownictwo

8 Czy wie Pan / Pani, jak nazywają się przedstawiciele różnych wyznań? A jak nazywają się główne religie świata? Proszę uzupełnić tabelę, korzystając ze słownika.

wyznanie	wyznawca
	buddysta
hinduizm	
	chrześcijanin
	protestant
katolicyzm	
	muzułmanin
judaizm	
prawosławie	

9a Proszę dopasować do siebie słowa z obu kolumn.

1. ksiądz — b) kościół
2. pastor
3. pop
4. rabin

a) cerkiew
b) kościół
c) zbór
d) synagoga

9b Proszę wyjaśnić znaczenie następujących wyrazów:

0. Cerkiew to *miejsce kultu religijnego prawosławnych. Cerkiew to świątynia prawosławnych.*

1. Zbór to ....

2. Kościół to ....

3. Meczet to ....

4. Synagoga to ....

| cerkiew | zbór | synagoga | meczet | kościół |

0. Ksiądz to *osoba duchowna w kościele katolickim.* ....

1. Pastor to ....

2. Pop to ....

3. Rabin to ....

4. Papież to ....

5. Kardynał to ....

6. Mułła to ....

7. Biskup to ....

10 Które słowo nie pasuje do pozostałych? Proszę zdecydować w parach z kolegą / koleżanką.

0. msza	nabożeństwo	<u>kościół</u>
1. katolicyzm	ksiądz	prawosławie
2. modlić się	śpiewać	wierzyć
3. wyznanie	duchowny	religia
4. duchowny	ksiądz	wierzący
5. wierzący	agnostyk	rabin
6. mułła	kardynał	biskup

11 Jak Pan / Pani myśli, dlaczego ludzie wierzą w Istotę Wyższą? Który z podanych niżej powodów uważa Pan / Pani za słuszny?

– Bo musi istnieć coś, co jest doskonalsze od nas.

– Bo boją się śmierci.

– Bo lubią się modlić i chodzić na nabożeństwa.

– Bo tak są wychowani, taka jest tradycja.

– Z innych powodów.

● Gramatyka

12 Proszę wstawić odpowiednią formę rzeczownika *ksiądz* w liczbie pojedynczej i mnogiej.

a) Kiedy byłem mały, chciałem być .... Znałem jednego .... Był bardzo inteligentny i pracowity. Ludzie mówili o tym ...., że ma powołanie. Dzięki temu .... zrozumiałem, że trzeba pomagać innym.

b) .... katoliccy muszą żyć w celibacie. Żaden z .... nie może żyć z kobietą. Sądzę, że niektórym .... może się to nie podobać. Mało dyskutuje się o .... i z .... na temat ich sytuacji życiowej.

Część D. Pisanie

I   **Proszę wybrać jeden z zestawów i wykonać oba polecenia.**

Zestaw 1

1. Proszę napisać kartkę świąteczną do rodziny w Polsce. (20 słów)
2. Proszę napisać tekst argumentacyjny na temat: Dobry katolik chodzi w każdą niedzielę do kościoła. (180 słów)

Zestaw 2

1. Proszę opisać święta Bożego Narodzenia w Pana / Pani kraju. (180 słów)
2. Proszę napisać zaproszenie na święta do znajomych. (20 słów)

Zestaw 3

1. Proszę napisać kartkę do rodziny z podziękowaniem za organizację urlopu w górach w czasie Świąt Wielkanocnych. (20 słów)
2. Proszę napisać tekst argumentacyjny na temat: Religia w szkole – plusy i minusy. (180 słów)

5a Proszę posłuchać rozmowy studentów i uzupełnić brakujące fragmenty tekstu.

Piotrek: Cześć, co słychać?

Bogdan: Hej!

Edyta: Cześć, w porządku, ale mów, co u ciebie. Słyszałam, że zdawałeś wczoraj egzamin.

Piotrek: No w końcu nie. Wyobraźcie sobie, uczyłem się ponad tydzień, i tak nie umiałem wszystkiego. Ale na szczęście dla mnie egzamin w ostatnim momencie został odwołany.

Edyta: Poważnie?

Bogdan: Żartujesz, jak to?

Piotrek: Naprawdę. Wczoraj rano wstałem o szóstej – egzamin miał być o ósmej – nie mogłem nic zjeść, bo się strasznie denerwowałem. Ubrałem się elegancko, garnitur, biała koszula, krawat...

Edyta: I co dalej? Mów szybciej!

Piotrek: No i poszedłem na uniwersytet. Pod salą, w której miał przepytywać profesor Dioda nie było nikogo. Poszedłem do sekretariatu i dowiedziałem się, że...

Bogdan: À propos sekretariatu..., przepraszam, że przerywam, ale nie wiecie, czy w piątki sekretariat jest otwarty?

Edyta: Zamknięty. I co dalej z twoim egzaminem, odwołali go, no ale kiedy będziesz zdawał?

Piotrek: Odwołali, bo profesor jest chory. Jeszcze nie wiadomo, kiedy będzie następny termin. Nie mam pojęcia. Problem polega na tym, że profesor poważnie zachorował i jest szpitalu.

Bogdan: To znaczy, że pewnie ktoś inny będzie egzaminował, może na przykład doktor Grzyb.

Piotrek: Tak myślisz?

Bogdan: Tak mi się wydaje.

Piotrek: Wiecie co. Przepraszam was, ale trochę się spieszę.

Edyta: My też musimy iść, zaraz mamy wykład.

8b Proszę wysłuchać nagrania, a następnie uzupełnić brakujące informacje. Nagranie zostanie odtworzone dwukrotnie.

Szkoła językowa. Sekretariat.

Sekretarka: Szkoła Języków Obcych „Profit", słucham.

Klientka: Dzień dobry. Nazywam się Mami Yokusama. Czy otrzymali państwo mój formularz zgłoszeniowy na kurs języka polskiego?

Sekretarka: Tak, ale nie mamy wszystkich informacji. Proszę powtórzyć imię i nazwisko.

Klientka: Mami Yokusama. Przez „igrek".

Sekretarka: Tak, mam pani formularz. Proszę podać datę i miejsce urodzenia.

Klientka: Dziewiętnastego października tysiąc dziewięćset siedemdziesiątego szóstego roku w Tokio. Jestem Japonką.

Sekretarka: Czym się pani zajmuje?

Klientka: Proszę?

Sekretarka: Kim pani jest z zawodu?

Klientka: Tłumaczką.

Sekretarka: Proszę podać numer pani paszportu.

Klientka: Paszport numer ce-de, dziewięćset trzydzieści, czterysta dziesięć.

Sekretarka: Pani adres w Polsce to ulica Konopnickiej sto trzydzieści pięć przez siedem, Warszawa, tak? A jaki jest kod pocztowy?

Klientka: Dwadziescia – sto trzydzieści trzy.

Sekretarka: A jaki jest adres do korespondencji?

Klientka: Taki sam.

Sekretarka: I jeszcze mamy niekompletny numer telefonu. Zero dwadzieścia dwa do Warszawy, następnie osiemset dwanaście i...

Klientka: Czterdzieści jeden, pięćdziesiąt dziewięć.

Sekretarka: Pani adres internetowy już mam. To wszystko. Test kwalifikacyjny jest piętnastego stycznia o dziewiątej.

Klientka: Tak, wiem. Do widzenia.

Sekretarka: Do widzenia.

CZĘŚĆ A. ROZUMIENIE ZE SŁUCHU

I Wypowiedzi pojedyncze. Proszę uważnie słuchać i zaznaczać właściwe odpowiedzi. Nagranie będzie odtworzone tylko jeden raz.

Przykład:

0. Zrób sobie gorącej herbaty, to pomaga myśleć.
1. Na egzaminie pisemnym można korzystać ze słownika, ale tylko, jeśli piszemy esej.
2. Na twoim miejscu poszłabym uczyć się do parku, tutaj jest strasznie duszno.
3. Bardzo proszę wyłączyć telefon komórkowy.
4. Nie martw się, że oblałeś, przecież możesz zdać ten egzamin w innym terminie.
5. Kiedy ma dyżur profesor Woźniakowski?
6. Bardzo dobrze, świetnie pani zdała część ustną!
7. Mógłbyś ściszyć muzykę, strasznie mnie dekoncentruje.
8. Może poszukamy tych informacji w Internecie?
9. Przepraszam, gdzie jest sekretariat?
10. Proszę uważnie słuchać i zakreślić właściwą odpowiedź!

II Proszę wysłuchać czterech krótkich dialogów i uzupełnić brakujące fragmenty tekstu. Nagranie zostanie odtworzone dwukrotnie.

1.
– Jak ci poszło?
– Nie ma jeszcze wyników, ale uczyłem się dużo, więc myślę, że będzie dobrze.

2.
– No i co? Zdałaś?
– Było naprawdę trudno, ale udało mi się.

3.
– No i jak?
– Czuję, że poszło mi nienajlepiej. Nie odpowiedziałem na dwa pytania.

4.
– Słyszałam, że oblałaś?
– Nie wiem jak to się stało, naprawdę długo się uczyłam. Po prostu mi się nie powiodło.

III Ankieta uliczna. Zapytaliśmy przechodniów na ulicy, jaką radę mogą dać zdającym egzamin. Proszę wysłuchać odpowiedzi i zaznaczyć, czy poniższe zdania są prawdziwe (P) czy nieprawdziwe (N). Nagranie zostanie odtworzone dwukrotnie.

0. Nie przejmuj się niczym i tak zdasz! Trzeba podchodzić bez stresu! Najważniejszy jest luz!
1. Wyśpij się, nie siedź w noc przed egzaminem do późna!
2. Ucz się do ostatniego momentu, zawsze możesz być zapytany właśnie o coś, co przeczytałeś w ostatniej chwili!
3. Zrób przerwę na dzień przed egzaminem, idź wieczorem do kina albo na spacer!
4. Śpij na książkach, rób powtórki tuż przed pójściem spać!
5. Zrób powtórkę generalną nie w ostatni wieczór, ale na tydzień przed egzaminem!
6. Poproś kogoś, żeby cię przepytał dzień wcześniej!

3a Proszę wysłuchać wypowiedzi pięciu osób, które opowiadają o swoich ulubionych metodach nauki języka obcego, a następnie uzupełnić tabelę.

3b Proszę wysłuchać tekstu jeszcze raz i uzupełnić tabelę.

Rolland, 29 lat, Francja
Dla mnie najskuteczniejszą metodą nauki języka jest połączenie pracy indywidualnej i grupowej. Lubię dyskusje na różne tematy z innymi studentami, ale wolę przeczytać tekst w domu, dzień wcześniej, żeby dobrze poznać nowe słownictwo. Dzięki temu mogę potem swobodnie rozmawiać.

Erna, 74 lata, Niemcy
Praca w grupie jest dla mnie bardzo stresująca, może dlatego, że na kursy językowe przychodzą młode osoby, które uczą się szybciej i mają inne niż ja zainteresowania. Lubię zajęcia indywidualne. Lektor czyta wyraz lub zdanie, a ja je powtarzam. Jest to dobra metoda, bo nauczyciel w pełni kontroluje poprawność moich wypowiedzi.

Joasia, 24 lata, Polska
Uwielbiam chodzić na kurs włoskiego! Pracujemy w parach albo w małych grupach i przez cały czas możemy mówić! Robimy różne zabawne ćwiczenia, gry, wywiady, wymyślamy śmieszne historie. W ten sposób można szybko zacząć mówić w obcym języku. A ćwiczenia gramatyczne robię sama w domu.

Swen, 31 lat, Szwecja
Bardzo krótko chodziłem na kurs angielskiego, około pół roku, ale mówię bardzo dobrze. Nauczyłem się w sposób praktyczny, przez bezpośredni kontakt z klientami i przez Internet. Musiałem często szukać informacji, a w sieci trudno coś znaleźć, kiedy się nie zna angielskiego. Oprócz tego tłumaczyłem teksty piosenek.

Marcus, 45 lat, Austria
Uczę się polskiego na kursach językowych i bardzo to lubię, ale mam też swoje własne metody. Zapisuję nowe słowa na karteczkach i noszę je zawsze przy sobie. W wolnych chwilach przeglądam karteczki i przypominam sobie słowa. Poza tym codziennie oglądam polskie serwisy informacyjne w telewizji satelitarnej, w samochodzie obowiązkowo słucham kaset do nauki języka i powtarzam zdanie za lektorem. Od czasu do czasu nagrywam się na dyktafon, żeby sprawdzić, czy moje wypowiedzi po polsku brzmią poprawnie.

2a Stefan idzie do fryzjera. Proszę wysłuchać nagrania i uzupełnić brakujące fragmenty tekstu słowami podanymi w ramce. Nagranie zostanie odtworzone jeden raz.

Fryzjer: Dzień dobry. Słucham pana.
Stefan: Dzień dobry. Czy długo trzeba czekać na strzyżenie?
Fryzjer: Około piętnastu minut. Poczeka pan?
Stefan: Tak, dziękuję.
Fryzjer: Proszę usiąść. Tu są katalogi i czasopisma, jeśli pan chciałby przejrzeć.
Stefan: Dziękuję.
(po pietnastu minutach)
Fryzjer: Zapraszam na fotel. Co robimy?
Stefan: Nie jestem zdecydowany, ale myślę, że najlepiej obciąć na krótko, dużo krócej po bokach i z przodu. Tak jak na tym zdjęciu.
Fryzjer: Dobrze, zapraszam do mycia.

CZĘŚĆ A. ROZUMIENIE ZE SŁUCHU

I Wypowiedzi pojedyncze. Proszę uważnie słuchać i zaznaczać właściwe odpowiedzi. Nagranie będzie odtworzone tylko jeden raz.

Przykład:
0. Proszę zapakować.
1. Świetnie wyglądasz!
2. Normalne czy ulgowe?
3. Czy coś jeszcze?
4. Proszę wypełnić ten formularz!
5. Uwaga! Uwaga! Pociąg międzynarodowy z Warszawy do Pragi odjeżdża z toru czwartego przy peronie drugim.
6. Proszę obciąć na krótko.
7. Która godzina?
8. Dziękuję, nawzajem!
9. Czy ma pan coś do oclenia?
10. Muszę pana zbadać.
11. Nie jestem pewna.
12. Czy są jakieś magazyny o modzie?
13. Do jutra!
14. Bardzo chętnie!
15. Bardzo mi miło.
16. Może pójdziemy do kina?
17. On mi się nie podoba.
18. Proszę przeczytać poniższy tekst i odpowiedzieć na pytania.
19. Jest mi wszystko jedno.
20. Samoobsługa.

II Proszę wysłuchać tego tekstu i odpowiedzieć na pytania. Nagranie zostanie odtworzone dwukrotnie.

Jeśli nie wiemy, w co się ubrać, nośmy rzeczy, które najbardziej do siebie... nie pasują. Jest taka planeta, gdzie kobiety mają sto osiemdziesiąt centymetrów wzrostu, ważą pięćdziesiąt kilogramów i co pół roku całkowicie zmieniają garderobę, styl, fryzurę i makijaż. Ta planeta nazywa się Moda. Wszyscy na niej są młodzi, piękni, eleganccy i bogaci. Jedynym problemem mieszkańców Mody jest to, w co się ubrać. Francuzi kiedyś byli dumni, że są stolicą mody. Dziś snobują się na Amerykanów, że są nowocześni. Amerykanie snobują się na Francuzów i Włochów, że są europejscy. Włosi chcieliby mieć ekscentryczność Anglików oraz pragmatyzm z Nowego Jorku. A jeszcze atakuje Azja: młodzi projektanci z Chin, Korei, Tajwanu jadą od razu do Nowego Jorku, tam mają najwięcej szans.

„Gazeta Wyborcza" 2002, nr 20

III Proszę wysłuchać tej informacji i uzupełnić brakujące fragmenty tekstu. Nagranie zostanie odtworzone dwukrotnie.

Kowalski Automobil projektuje urządzenia kuchenne.
Znana polska firma motoryzacyjna przedstawiła w piątek swój najnowszy produkt – toster. To pierwsza część serii w stylu retro. Toster wygląda jak miniatura samochodu, zrobiony jest głównie z metalu i utrzymany w tonacji srebrno-zielonej. Wszystkie elementy są montowane ręcznie. Tostery i inne przedmioty z serii będą wykonywane tylko na indywidualne zamówienia. Firma wyprodukuje w tym roku pięćset sztuk tosterów. Za jeden trzeba będzie zapłacić siedemset złotych. Za rok będzie można kupić także mikser, ekspres do kawy, a nawet lodówkę.

IV Proszę wysłuchać nagrania i zaznaczyć, czy poniższe zdania są prawdziwe (P) czy nieprawdziwe (N). Nagranie zostanie odtworzone dwukrotnie.

Pani Genowefa opowiada o swojej pasji.
Pierwszy zegarek dostałam, gdy miałam pięć lat. Zobaczyłam go za szybą w kiosku i tak długo płakałam, aż mama w końcu mi go kupiła.

Oczywiście to nie był „normalny" zegarek, ale tylko zabawka, na dodatek w kolorze pomarańczowym. Ale nikt z moich kolegów takiego nie miał. Dzięki temu zegarkowi stałam się bardzo popularna. Na jakieś dwa tygodnie. Pierwszy „prawdziwy" zegarek kupiłam sama za pierwsze zarobione pieniądze. Mając piętnaście lat w wakacje pomagałam w sklepie odzieżowym mojej ciotki. Zegarek kupiłam w antykwariacie, wydając prawie całą miesięczną pensję. Był srebrny, stary – chyba przedwojenny. Mam go do dzisiaj, chociaż już od dawna nie działa. A później zaczęłam kolekcjonować zegarki. Nowe dostawałam od rodziny i przyjaciół na różne okazje i też bez okazji. Stare sama kupowałam, często zepsute, więc musiałam je reperować. Dziś mam największą w Polsce kolekcję zegarków na rękę, liczącą dwa tysiące egzemplarzy.

V Proszę uważnie wysłuchać tego nagrania i odpowiedzieć na dwa pytania. Nagranie zostanie odtworzone dwukrotnie.

Zapytaliśmy znanego fotografa mody Bruna Peterkę, co sądzi na temat współczesnych trendów. A oto, co nam powiedział:
– Fotografuję modę od dwudziestu lat. Projektanci przygotowują nowe kolekcje co sezon, ale niektóre trendy co jakiś czas wracają: styl militarny, retro, styl hippisowski. Oczywiście, nie jest to dokładnie to samo co kiedyś, ale ogólnie wizje są podobne. Tylko modelki są coraz chudsze, he, he. Wielka moda to sztuka, ale źle, jeśli staje się muzealnym eksponatem i nikt nie nosi ubrań projektantów. Najważniejsze, żeby moda inspirowała zwykłych ludzi. Żeby przestali nosić czarne, ponure, brzydkie ubrania, bo wtedy nawet ja nie mogę zrobić dobrego zdjęcia.

lekcja 4

4a Proszę posłuchać wystąpienia szefa związku zawodowego nauczycieli i określić czy: a) prowadzi on negocjacje, b) organizuje strajk, c) przedstawia żądania pracowników?

4b Proszę wysłuchać tekstu jeszcze raz i uzupełnić tabelę.

Dzisiaj nauczyciele stoją przed dylematem: mieć czy być. Ich zarobki nie są prawdziwą rekompensatą za pracę, którą wykonują. Wszyscy mówią: etat nauczyciela to tylko 18 godzin. A czy praca nauczyciela to tylko 18 godzin? Przeciętnie nauczyciel spędza dwie godziny dziennie na poprawianiu zadań i testów, jedną sobotę w miesiącu poświęca swoim uczniom, dwa razy w roku musi brać udział w konferencjach szkolnych, przynajmniej jeden raz w roku jedzie z młodzieżą na wycieczki szkolne. I za to wszystko dostaje minimalną pensję! Czy to, co aktualnie zarabia nauczyciel, to naprawdę zapłata za jego ciężką pracę? Żądamy wyższych pensji i zapłaty za godziny pozalekcyjne. Tylko jeden nauczyciel na dwóch może wyjechać na urlop. Reszta spędza czas w domu. A gdzie dotacje na podnoszenie kwalifikacji? Gdzie pieniądze na rozbudowę szkół? Sale lekcyjne są za małe! Żądamy polepszenia warunków pracy!

8a Proszę wysłuchać sondy ulicznej i odpowiedzieć na pytania.

a)
– Przepraszam bardzo, przeprowadzamy sondę. Czy zechciałaby pani odpowiedzieć na kilka pytań?
– Tak, proszę.
– Czy ma pani własne mieszkanie?
– Mam duży dom.
– Co jest dla pani ważne w wyposażeniu domu? Co pani ma albo co pani chciałaby mieć?
– Mam wszystko, czego potrzebuję od pralki, lodówki, telewizora, aż po zmywarkę do naczyń i komputer.
– A książki, płyty?
– Tak, dużo wydaję na książki i płyty. Wykształcony człowiek powinien być na bieżąco z kulturą. Niestety, nie mogę kupować obrazów, są za drogie.
– Czy, pani zdaniem, typowa polska rodzina mieszka tak, jak pani?
– Ależ skąd! Moja sytuacja materialna jest dużo lepsza niż sytuacja

przeciętnej polskiej rodziny! Większość Polaków mieszka w małych mieszkaniach, nie stać jej na kupienie komputera, zmywarki, niestety książki i płyty też kosztują sporo.
– Czy to znaczy, że jest pani zadowolona ze swojej sytuacji?
– Tak, cieszę się, że udało mi się dojść do tego, co mam.
b)
– Przepraszam bardzo, przeprowadzamy sondę. Czy zechciałby pan odpowiedzieć na kilka pytań?
– Tak, a na jaki temat?
– Interesuje nas sytuacja materialna polskiej rodziny.
– No, wie pani, sytuacja polskiej rodziny jest niezbyt dobra. Znam mało osób, które są zadowolone z warunków życia. Niewielu Polaków stać na własne mieszkanie, podróże etc....
– A pan?
– Jestem młody, wszystko przede mną. Na razie nie mam mieszkania, wynajmuje małą kawalerkę, ale poza tym, mam wszystko, czego potrzebuję: pralkę, lodówkę, komputer...
– Zmywarkę do naczyń?
– No, nie, proszę nie przesadzać. Mieszkam sam, nie potrzebuję takich wynalazków!
– A gdyby pan miał rodzinę?
– Też pewnie nie miałbym. Kto dzisiaj ma zmywarkę? Ludzie potrzebują innych rzeczy.
– Czego? Książek, płyt?
– Oczywiście to nie są artykuły pierwszej potrzeby, ale ja, osobiście uważam, że książki kupować trzeba!
– Czy to znaczy, że ma pan więcej niż 50 sztuk?
– Tak, oczywiście!
– Czy jest pan zadowolony ze swojej sytuacji materialnej?
– Ogólnie tak, chociaż szkoda, że w naszym kraju młody człowiek napotyka na tyle trudności w codziennym życiu.

5 lekcja

1c Proszę wysłuchać rozmowy Oli i Jarka i porównać z Państwa wersją wydarzeń. Proszę uzupełnić brakujące słowa.

– Włożyłeś makaron do garnka?
– Tak. Jak długo ma się gotować?
– Około 10 minut.
– W takim zrazie robię sos. Mamy pomidory?
– Świeżych nie mamy. Ale pomidory z puszki też są dobre!
– Jak chcesz (miesza). I jeszcze pesto. Podasz mi słoik?
– Hmm, ale ładnie pachnie... ale pesto nie miesza się z pomidorami... Wiesz co, ja zrobię ten sos. Może nakryjesz do stołu?
– Dobrze.
– Poczekaj! Weź ścierkę, trzeba posprzątać na stole!

– No i jak ci się podoba? Każde nakrycie składa się z talerza, widelca z lewej strony, noża i łyżki z prawej, łyżeczki deserowej, talerzyka, szklanki i kubka! A tutaj są serwetki.
– Ale po co łyżki i noże? Przecież spaghetti je się widelcem! A talerzyk deserowy po co?
– Do deseru!
– Ale mamy lody! Hmm... A po co szklanki i kubki?
– Do herbaty i kawy.
– Ale my nie będziemy pić herbaty, tylko wino! A kawę będziemy pić w filiżankach!
– No tak... (nagle) Czujesz? Coś dziwnie pachnie! To chyba dym!
– Sos!!!!

– Cześć! A co tu tak dziwnie pachnie???
– Nasza kolacja... Chyba będziemy musieli zamówić pizzę.

– O nie, tym razem pójdziemy do chińskiej knajpy.
– Nie, nie ...
– Żadne nie, żadne ale. Musicie spróbować, to świetne jedzenie!
– Ale w chińskiej knajpie je się pałeczkami!
– No więc wreszcie nauczycie się jeść pałeczkami!

5a Proszę wysłuchać krótkich wypowiedzi. Proszę wpisać numer wypowiedzi pod każdym rysunkiem.

1. Pyszne ciasto! Mniam, mniam!
2. Ta zupa wygląda bardzo apetycznie!
3. W moim soku jest mucha! Łee, to obrzydliwe!
4. Obiad był naprawdę znakomity!
5. Te lody są wspaniałe! Niebo w gębie!
6. Świetna kawa!
7. Wyśmienity gulasz!
8. W tej sałacie coś jest… Ohyda!
9. Niezłe wino!
10. Smakowało mi, ale jadłem już lepsze rzeczy.

7a Proszę wysłuchać nagrania, a następnie zdecydować, o jakich kuchniach świata mówią ankietowane osoby. Proszę zaznaczyć, które wypowiedzi mają charakter pozytywny, a które negatywny.

7b Proszę ponownie wysłuchać nagrania, a następnie dokończyć zdania.

7c Proszę zanotować, jakie upodobania kulinarne mają ankietowane osoby. Proszę porównać z kolegą / koleżanką zanotowane informacje.

1.
Polecam kuchnię włoską: makarony, sosy pomidorowe. Przede wszystkim dlatego, że jest dietetyczna. Ale lubię też kuchnię polską – pierogi, tradycyjne polskie dania. Niektóre potrawy są tuczące, wiem, ale nie mam z tym problemu. Nie lubię tłustych potraw. W kuchni włoskiej są również ciężkostrawne potrawy, ale po prostu nie jem takich rzeczy.
2.
Dla mnie podstawą w kuchni jest mięso i dlatego zachęcam do jedzenia polskich tradycyjnych dań typu bigos, schabowy z kapustą, pierogi z mięsem. Tak naprawdę w każdej kuchni można znaleźć coś dla siebie: lubię ostre rzeczy, a więc kuchnię węgierską – gulasz, paprykarze; kuchnię arabską typu kebab...; grecką – gyros; niemiecką – kiełbasy, golonka i amerykańską – smakują mi fast-foody: hamburgery, hotdogi i inne rzeczy.
3.
Jestem osobą, która całe życie jest na diecie. Na szczęście lubię kuchnię lekkostrawną – śródziemnomorską i japońską. Uwielbiam makarony, ryby i owoce. Nie znoszę polskiej kuchni; jest niezdrowa i ciężkostrawna: zupy, tłuste mięsa, ciasta. Lubię zdrowe jedzenie i uważam, że warto jeść potrawy dietetyczne.
4.
Uwielbiam kuchnię francuską i skandynawską. Obie są przede wszystkim niskokaloryczne. Uważam, że włoskie dania są zbyt tłuste, nie lubię majonezu i żółtego sera. Myślę, że każdy powinien koniecznie spróbować chińskiej i indyjskiej kuchni. Orientalne potrawy nie są zbyt tłuste, poza tym bogate w mikroelementy.

lekcja **6**

6b Poniższa tabela przedstawia dane o ludności pochodzenia polskiego mieszkającej za granicą. Proszę wysłuchać nagrania, a następnie uzupełnić brakujące liczby.

Największym skupiskiem Polonii są obie Ameryki, Północna i Południowa. Szacuje się, że w Stanach Zjednoczonych mieszka obecnie 10 milionów 600 tysięcy osób polskiego pochodzenia. Na drugim miejscu jest Brazylia – półtora miliona Polaków. Dalej plasuje się Kanada – około 800 tysięcy i Argentyna – blisko 350 tysięcy. Równie duże skupiska ludności polskiej znajdują się na terenie Europy Wschodniej ponad milion sto tysięcy mieszka na Ukrainie, niewiele mniej, bo milion Polaków, zamieszkuje Białoruś. Nieco mniejsze skupiska znajdują się w Federacji Rosyjskiej i na Litwie. Jeśli chodzi o Europę Zachodnią, największa jest Polonia niemiecka – około 2 milionów i francuska

– nieco ponad milion Polaków. Mniejsze skupiska Polonii znajdziemy w Wielkiej Brytanii – około 200 tysięcy i Włoszech – 50 tysięcy. Ślady Polaków odnajdziemy jednak wszędzie, nawet w tak małych państwach jak Monako czy Watykan – około trzydziestu Polaków.

12b Proszę wysłuchać wypowiedzi Erica, Beaty i Heleny, a następnie odpowiedzieć na poniższe pytania.

12c Proszę jeszcze raz posłuchać wypowiedzi Erica, Beaty i Heleny, a następnie podsumować wydarzenia z ich życia.

1. Eric
10 lat temu przyjechałem na studia do Polski. Najpierw uczyłem się polskiego w Łodzi, a po dwóch latach wyjechałem do Krakowa, żeby zacząć studia na Akademii Górniczo-Hutniczej. To był najlepszy czas w moim życiu, poznałem wielu wspaniałych ludzi, z niektórymi przyjaźnię się do dziś. Wtedy też poznałem Anię, moją obecną żonę. Pobraliśmy się przed czterema laty, wkrótce potem urodziła się nasza córka Zuzia. Obecnie pracuję jako manager w jednej z największych krakowskich firm.

2. Beata
Przed dziesięcioma laty wyjechałam do Londynu do mojej rodziny, która wyemigrowała do Anglii zaraz po wojnie. Przez rok uczyłam się języka i pracowałam jako opiekunka do dziecka. Potem zaczęłam studia. W czasie studiów projektowałam ubrania i sprzedawałam je w londyńskich butikach. Moje projekty cieszyły się dużą popularnością, więc po studiach postanowiłam otworzyć własny butik i wypromować swoją markę. Ale w Londynie jest duża konkurencja. Rok temu wróciłam do Polski i założyłam własną firmę. Projektuję modę, a w przyszłym miesiącu będę miała swój pierwszy pokaz.

3. Helena
Przez wiele lat pracowałam jako dziennikarka w jednej z warszawskich gazet. 10 lat temu poznałam mojego przyszłego męża – jest inwalidą, ale aktywnie uprawia sport i był członkiem reprezentacji Polski na ostatniej Olimpiadzie. Poznałam wielu jego znajomych, również niepełnosprawnych sportowców i postanowiłam napisać o nich książkę. To było 5 lat temu. Książka odniosła duży sukces i przed dwoma laty poproszono mnie, żebym na jej podstawie napisała scenariusz do filmu. Film wchodzi na ekrany w grudniu i mam nadzieję, że spodoba się widzom.

7 lekcja

2a Proszę wysłuchać dialogów i zaznaczyć właściwe odpowiedzi.

2b Proszę wysłuchać dialogów jeszcze raz i zaznaczyć w tabelce zwroty, które się w nich pojawiają.

Dialog 1
– Chciałam się dowiedzieć, czy wystarczy, kiedy pokażę prawo jazdy. Nie mam przy sobie paszportu.
– Nie, niestety, prawo jazdy nie wystarczy, potrzebny jest paszport.

Dialog 2
– Co muszę zrobić, jeśli chcę zarejestrować samochód?
– Musi pan wypełnić ten formularz i pójść do pokoju 302.

Dialog 3
– Przepraszam, czy można wejść? Mam pytanie.
– Tak, oczywiście, proszę bardzo. Proszę usiąść. W czym mogę panu pomóc?

Dialog 4
– Jestem obcokrajowcem i prawie od miesiąca mieszkam u przyjaciółki. Chciałbym zapytać, kiedy muszę się zameldować, czy to jest pilne?
– Jak najszybciej, najlepiej jeszcze dziś, bo ma pan trzydziestodniowy termin od momentu przyjazdu do Polski.

7 Proszę wysłuchać wypowiedzi i minidialogów, a następnie zakreślić właściwą odpowiedź.

1.
– A więc skracamy troszkę włosy, żeby fryzura lepiej się układała i robimy kolor?
– Tak, jasny blond.

2.
– Czy jest szansa, że przygotuje Pani tę umowę na jutro? W piątek mam spotkanie z wydawnictwem.
– Oczywiście, muszę tylko zajrzeć do kodeksu.

3.
– Mam kompletnie zalane mieszkanie. Jak szybko możecie przyjechać?
– To zależy gdzie Pan mieszka. Proszę podać adres.

4.
– Ta spódnica jest za ciasna. Dałoby się ją trochę poszerzyć?
– Zaraz zobaczymy.

5.
– Chciałbym umówić się na przegląd.
– Jaki auto ma przebieg?
– To stary samochód, ma przejechane 130 000 kilometrów.

6.
– Czy możecie Państwo przysłać fachowca, żeby obejrzał moją lodówkę?
– A co się dzieje?
– Nie wiem, jest zepsuta, nie mrozi.

9a Proszę wysłuchać nagrania i zaznaczyć, czy poniższe zdania są prawdziwe (P) czy nieprawdziwe (N).

9b Proszę ponownie wysłuchać nagrania i odpowiedzieć na pytania.

9c Proszę wysłuchać nagrania po raz ostatni, a następnie uzupełnić poniższe zdania.

– Dzwoniłeś wczoraj w sprawie naszego DVD?
– Zapomniałem, ale już dzwonię. Wypisałem sobie kilka numerów.
– Może nie trzeba, Jola dała mi numer do takiego człowieka, on się nazywa... czekaj... Jabłoński, Tadeusz Jabłoński.
– Fachowiec?
– Nie, nie ma swojego warsztatu. Złota rączka, podobno świetnie naprawia telewizory, magnetowidy, każdy sprzęt RTV.
– Prawdę mówiąc, wolałbym specjalistę. Zadzwonię do jakiegoś punktu napraw.

– „Kubacki-Serwis", w czym mogę pomóc?
– Dzień dobry. Czy naprawiacie państwo sprzęt DVD?
– Oczywiście. To jest odtwarzacz czy kino domowe?
– Kino domowe.
– A co się dzieje?
– Ciągle się psuje, a starszych płyt w ogóle nie czyta.
– Rozumiem. Proszę przywieźć do nas sprzęt.
– To jest dość duży model... A czy jest szansa, że przyślecie kogoś do nas?
– Nie mogę panu tego niestety obiecać, mamy dużo klientów. Może w przyszłym tygodniu.
– To dla nas za późno. Nic, w takim razie dziękuję. Do widzenia.
– Do widzenia.

– To co, dzwonić do Jabłońskiego?
– Poczekaj, zadzwonię w inne miejsce.

– Naprawa RTV „SKORPION", słucham.
– Dzień dobry. Czy naprawiacie Państwo sprzęt DVD?
– Wszystkie dostępne na rynku modele. Przywiezie pan sprzęt do nas?
– A dałoby się przysłać do nas fachowca, żeby obejrzał DVD?

– No wie pan, wszystkie naprawy prowadzimy w serwisie, ale możemy kogoś wysłać, żeby zabrał sprzęt do nas.
– A jaki jest koszt usługi?
– 80 złotych transport i oczywiście koszty naprawy.
– W takim razie musimy się zastanowić. Jeśli się zdecydujemy, zadzwonię do Państwa. Do widzenia.
– Do widzenia.

– To co, może jednak zaufasz temu Jabłońskiemu? Naprawia wszystko u Joli, to naprawdę złota rączka.
– No dobrze, dzwoń.

– Jabłoński, słucham.
– Dzień dobry, mówi Dorota Krukowska. Dostałam pana numer od mojej koleżanki, Joli Dobrowolskiej.
– A, od pani Joli! Pewnie jakieś problemy ze sprzętem? Co mogę dla pani zrobić?
– Mamy zepsute DVD.
– Zatrzymuje płyty?
– Tak, ciągle.
– To może być czytnik laserowy. Mam przyjechać to obejrzeć?
– Będziemy bardzo wdzięczni!
– Spróbuję Państwu pomóc, ale nie mogę obiecać, że to się uda naprawić. Może trzeba będzie zamówić nową część.
– Tak czy inaczej będziemy zobowiązani, panie Tadeuszu.

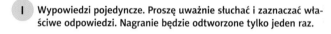
przygotowanie do egzaminu

CZĘŚĆ A. ROZUMIENIE ZE SŁUCHU

I Wypowiedzi pojedyncze. Proszę uważnie słuchać i zaznaczać właściwe odpowiedzi. Nagranie będzie odtworzone tylko jeden raz.

Przykład:
0. Obawiam się, że nie zdam tego egzaminu.
1. Uczę się polskiego sam.
2. Jak ci się powiodło na egzaminie?
3. Na twoim miejscu poszłabym na kurs językowy.
4. Świetnie wyglądałaś na imprezie.
5. Polecam ci pierogi z jagodami, palce lizać!
6. Nie rozumiem, dlaczego nie chcesz obejrzeć tego filmu. Powinnaś koniecznie go zobaczyć, jest świetny!
7. Ludzie w Polsce mają podobne problemy ze znalezieniem pracy jak u was.
8. Wczoraj wyjechał? Jaka szkoda, nie zdążyłam się pożegnać!
9. Będziecie mieli dziecko? To wspaniała wiadomość!
10. W czym mogę pani pomóc?

II Proszę wysłuchać opowiadania Ani i zaznaczyć, czy poniższe zdania są prawdziwe (P) czy nieprawdziwe (N). Nagranie zostanie odtworzone dwukrotnie.

W lipcu 1998 roku wybraliśmy się z moim chłopakiem, a obecnie mężem, na wakacje do Francji. Zostaliśmy zaproszeni przez moją francuską przyjaciółkę, którą poznałam podczas studiów w Warszawie, do jej rodzinnego domu w Bordeaux.
Z Warszawy do Paryża dojechaliśmy autobusem, potem mieliśmy przesiąść się na bezpośredni pociąg do Bordeaux, ale po drodze zmieniliśmy zdanie. Żeby zaoszczędzić trochę pieniędzy, a nie mieliśmy ich zbyt dużo, jak to studenci, postanowiliśmy pojechać autostopem. Dojechaliśmy metrem do miejsca, gdzie zaczynała się droga wylotowa na południe Francji i zaczęliśmy łapać autostop. Nie było łatwo, 30 stopniowy upał, kurz, hałas.
W końcu po 4 godzinach, około 22.00 zatrzymał się koło nas elegancki Renault, a mężczyzna, który siedział w środku powiedział, że może zabrać nas Tours. No cóż, dobre i to. Wsiedliśmy do samochodu i ruszyliśmy w drogę. Jakież było nasze zdziwienie, gdy po 20 minutach szybkiej jazdy mężczyzna powiedział, że musi wrócić do Paryża. Co się

stało, zapytałam? Okazało się, że mężczyzna zapomniał jakichś ważnych dokumentów. Nie chcieliśmy wracać do Paryża, więc nasz kierowca wysadził nas na środku autostrady. Po pół godzinie zdaliśmy sobie sprawę, że nasza sytuacja nie jest wesoła: 4 pasy w jedną i cztery w drugą stronę, samochody pędzące 180 km/h, hałas nie do wytrzymania. Nie było szans, żeby jakiś samochód stanął przy tej prędkości. Zaczęliśmy się naprawdę bać. Dopiero po godzinie udało nam się kogoś zatrzymać. Okazało się, że to była policja! Opowiedzieliśmy co się stało, a panowie policjanci byli bardzo mili i zaproponowali, że odwiozą nas z powrotem do Paryża na dworzec. Tak też zrobiliśmy. Po kilku godzinach siedzieliśmy już w pociągu relacji Paryż – Bordeaux, biedniejsi o kilkaset franków, ale szczęśliwi.

III **Słuchając informacji, proszę uzupełnić brakujące fragmenty tekstu (liczebniki można zapisać cyframi). Nagranie zostanie odtworzone dwukrotnie.**

W czwartek rozpoczynają się w Warszawie Krajowe Targi Książki. Analiza naszego rynku księgarskiego pokazuje, że kupujemy coraz więcej książek, chętniej czytamy literaturę piękną, na listach bestsellerów królują polscy autorzy. Czy nadchodzą tłuste lata dla pisarzy i wydawców? Co kryje się za ożywieniem? Wysyp dobrych tytułów, który przyniósł 2004 rok. Mocnym początkiem okazał się *Harry Potter i zakon Feniksa* Jane K. Rowling z imponującym pierwszym nakładem 700 tysięcy egzemplarzy.
Jesień ulokowała na listach bestsellerów liczne tytuły polskich autorów: *Podróże z Herodotem* Ryszarda Kapuścińskiego (Znak, sprzedało się już 72 tysiące egzemplarzy), *Z głowy* Janusza Głowackiego (Świat Książki, 64 tysiące) i *Bożych wojowników* Andrzeja Sapkowskiego (SuperNowa, 60 tysięcy). Powieści *Gnój* Wojciecha Kuczoka (W.A.B., książka z 2003 roku) w pierwszych miesiącach kupiono 11,5 tysiąca egzemplarzy, a po ogłoszeniu werdyktu Nike – łącznie niemal 50 tysięcy.

„Gazeta Wyborcza" 2004, nr 276

lekcja 9

2e **Czy można uniknąć konfliktów w konkubinacie? Magda i Janusz wypowiadają się na ten temat. Słuchając tego nagrania, proszę odpowiedzieć na poniższe pytania. Nagranie zostanie odtworzone dwukrotnie.**

Magda Fiałkowska, nauczycielka angielskiego:
Tak, wystarczy zasada: za wszystko płacimy razem. Zarabiamy podobnie, pensje wystarczają nam na podstawowe potrzeby: jedzenie, kino, impreza (rzadko), bilet miesięczny, zajęcia sportowe. Staramy się unikać pomocy rodziców, ale do końca nie jest to możliwe, jak np. w sytuacji naprawy kilkunastoletniego samochodu, w którym ciągle coś się psuje, albo większych zakupów. Rodzice finansują też studia podyplomowe Janusza na SGH.

Janusz Mitko, pracownik działu marketingu w prywatnej firmie:
Z oszczędzaniem jest ciężko, ale staramy się odkładać kilkaset złotych miesięcznie. W czasach studenckich każdy miał swoją kasę, jednak na wspólnych wyjazdach składaliśmy do portfela to, co mieliśmy i za to wspólnie żyliśmy. Od 2 lat, od kiedy mieszkamy razem, mamy tylko jedną zasadę – prawie za wszystko płacimy razem. W zasadzie tylko telefony komórkowe i zajęcia sportowe każdy opłaca sobie sam. Nie mamy wspólnego konta i nie rozliczamy się za każde zakupy, płacimy trochę na wyczucie. Jeśli jednemu brakuje pieniędzy, to drugie płaci, i tyle. Ślub będzie dla nas ułatwieniem. Praktycznie nic się nie zmieni – założymy tylko wspólne konto, które uprości nam życie.

„Polityka" 2003, nr 49

3b **Wypowiedzi pojedyncze. Proszę uważnie słuchać i zaznaczyć właściwą odpowiedź. Nagranie będzie odtworzone tylko jeden raz.**

0. Płaci pani kartą czy gotówką?
1. Przepraszam, gdzie jest najbliższy bank?
2. Chciałbym wymienić 100 euro na złotówki.

3. Dwanaście pięćdziesiąt.
4. Ile kilo?
5. Dzisiaj padł rekord ciepła – w południe było trzydzieści dziewięć stopni Celsjusza.

4c **Proszę wysłuchać fragmentu artykułu i uzupełnić brakujące elementy tekstu. Nagranie zostanie odtworzone dwukrotnie.**

SKĄD TA CENA? ZA CO PŁACIMY I CZEGO NIE DOSTANIEMY
Z czterdziestu milionów Polaków lata tylko dwa procent. Dlatego tanie linie lotnicze chcą przekonać miliony pasażerów, by zrezygnowali z pociągów, autokarów, promów i samochodów i korzystali z samolotów. Jesienią proponują nie tylko niskie ceny, ale na przykład weekendowe wycieczki do europejskich stolic – wylot w piątek, powrót w niedzielę. Sprawdziliśmy, jak to działa. (...)
Cena biletu to nie tylko cena za miejsce w samolocie, ale też za bagaż zasadniczy (od piętnastu do dwudziestu kilogramów) i podręczny (od pięciu do siedmiu kilogramów). Do samolotu można też wziąć płaszcz, parasol, aparat fotograficzny, kamerę wideo, książki i gazety. Za czterdzieści pięć – sto sześćdziesiąt złotych także psa lub kota. W samolocie nie ma posiłków gratis, ale niektóre linie oferują darmowe napoje i przekąski. Kawa i herbata kosztuje zwykle około dwa euro, słodycze jedno euro, alkohol cztery, piwo i kanapki po trzy. Darmowych gazet zwykle nie ma. (...)

„Gazeta Wyborcza" 2004, nr 40

10 lekcja

4a **Proszę wysłuchać dwóch informacji i uzupełnić brakujące fragmenty tekstów. Nagranie zostanie odtworzone dwukrotnie.**

ILE ZARABIAJĄ POLACY?
Przez lata transformacji Polacy zarabiali lepiej niż sąsiedzi, ale w ostatnim czasie straciliśmy pozycję lidera. W połowie 2003 roku polski pracownik zarabiał średnio 558 dolarów, tyle samo co Węgier, a Czech 610 dolarów. Najwyższe płace są w Słowenii – dwa razy wyższe niż nasza średnia krajowa.

KREDYTY STUDENCKIE
Do piętnastego listopada można składać podania o kredyty studenckie. Mogą to robić studenci szkół publicznych i prywatnych. Pierwszeństwo mają osoby pochodzące z biedniejszych rodzin, w których dochód na osobę jest mniejszy niż 1150 zł. Podania można składać w kilkunastu bankach w całym kraju.

„Polityka" 2003, nr 42

4b **Proszę wysłuchać wywiadu radiowego z prezydentem miasta Janem Nowackim i wybrać właściwą odpowiedź.**

– Dzień dobry Państwu. Rozmawiamy dzisiaj z prezydentem miasta, panem Janem Nowackim.
– Witam Państwa.
– Proszę nam powiedzieć, jak zmieniła się sytuacja ekonomiczna w naszym rejonie w ostatnich miesiącach.
– W zeszłym roku inwestorzy zachodni bardziej byli zainteresowani naszym rejonem niż w latach poprzednich, więc jest to dobry znak. Z kilkoma koncernami już wynegocjowaliśmy kontrakty. Jeżeli duże firmy otworzą tu swoje fabryki, będzie szansa na zmniejszenie bezrobocia nawet o kilka procent.
– A co z rolnictwem?
– Przygotowaliśmy program restrukturyzacji dla rolnictwa. Mam nadzieję, że nasi rolnicy zainteresują się eksportem swoich produktów na rynki wschodnie.
– Kiedy program dla rolnictwa będzie zrealizowany?
– Jak zwykle wszystko zależy od pieniędzy. Ale jest to jeden z naszych priorytetów.
– Dziękuję serdecznie za rozmowę.
– Dziękuję.

2a Zapytaliśmy Polaków, czy interesują się polityką. Proszę wysłuchać odpowiedzi i określić, dla której z pytanych osób polityka jest: a) interesująca, b) nudna, c) obojętna.

2b Proszę wysłuchać dialogów jeszcze raz i odpowiedzieć:

• Kiedy ankietowane osoby zaczęły interesować się polityką?
• Czy był to jakiś szczególny moment?
1.
– Czy interesujesz się polityką?
– Tak. Bardzo.
– Kiedy zaczęłaś interesować się polityką?
– Nie pamiętam dokładnie, ale wiem, że już w liceum oglądałam wiadomości i czytałam aktualną prasę.
2.
– Czy polityka jest dla Ciebie interesująca czy nudna? A może jest Ci obojętna?
– Polityka jest bardzo interesująca, muszę wiedzieć, co się dzieje wokół mnie. To ważne.
– Kiedy zacząłeś się interesować polityką?
– Pamiętam ten moment. Byłem w liceum, kiedy wybuchł skandal w rządzie. Wszyscy mówili tylko o premierze i jego koneksjach. Od tamtego momentu kupowałem regularnie prasę, żeby wiedzieć jaki będzie finał tej historii. Bardzo szybko zacząłem orientować się, kto jest kim w naszym kraju.
3.
– Czy interesujesz się polityką?
– Trudno powiedzieć. Jest mi obojętna, chociaż oglądam dość regularnie dzienniki telewizyjne.
– Czy pamiętasz pierwszy moment, kiedy zainteresowałaś się polityką?
– Tak, miałam cztery lata i zapytałam dziadka, kto to jest Breżniew. On zaczął wymieniać inne nazwiska znanych polityków tamtej epoki. Niewiele rozumiałam z tego, co mówi, ale ten moment pamiętam do dziś.
4.
– Czy interesujesz się polityką, czy nudzi Cię to?
– Jest mi zupełnie obojętne, co się dzieje w polityce. Nieważne, kto jest u władzy, wszyscy robią to samo, to znaczy nie robią nic. Zapytaj kogokolwiek z młodych ludzi, wszyscy powiedzą Ci to samo.

8a Proszę wysłuchać pierwszego fragmentu audycji radiowej i odpowiedzieć na dwa pytania.

Inicjatywa ustanowienia Europejskiego Roku Osób Niepełnosprawnych pojawiła się w Komunikacie Komisji Wspólnot Europejskich z dnia 12 maja 2000 roku skierowanym do Rady, Parlamentu Europejskiego, Komitetu Ekonomiczno-Społecznego oraz Komitetu Regionów pt. „Ku Europie bez barier dla osób niepełnosprawnych". Zgodnie z tym dokumentem rok 2003 miał być ogłoszony Europejskim Rokiem Niepełnosprawnych Obywateli.
Ustanowienie roku 2003 Europejskim Rokiem Osób Niepełnosprawnych ma na celu podniesienie publicznej świadomości o prawach osób niepełnosprawnych, o pozytywnym wkładzie, jaki wnoszą w życie społeczeństw, a także o problemach, na które napotykają z powodu swojej niepełnosprawności oraz różnych form dyskryminacji, na jakie są one narażone.
Głównym celem obchodów „Europejskiego Roku Osób Niepełnosprawnych" jest walka z różnymi formami dyskryminacji osób niepełnosprawnych na szczeblu lokalnym, krajowym i europejskim poprzez podniesienie świadomości społecznej w zakresie uznania prawa osób niepełnosprawnych do pełnej integracji ze społeczeństwem oraz poprzez informowanie osób niepełnosprawnych o możliwościach egzekwowania przez nich równości wobec prawa.

8b Proszę wysłuchać drugiego fragmentu audycji radiowej i uzupełnić brakujące części tekstu.

Obchody Roku Niepełnosprawnych pod honorowym patronatem Prezydenta Rzeczypospolitej Polskiej rozpoczął uroczysty koncert, który odbył się 2 grudnia 2002 roku w Filharmonii Narodowej w Warszawie. Telewizja Polska S.A. jako patron medialny jest jedną z instytucji zaangażowanych w obchody Europejskiego Roku Osób Niepełnosprawnych:
– Byliśmy i jesteśmy patronem medialnym wielu ważnych przedsięwzięć społecznych, uważamy to za swój obowiązek. Tym razem jesteśmy współorganizatorem jednego z nich. To niecodzienna rola dla stacji telewizyjnej. Ważny jest tu cel obchodów, którym jest pozytywna i trwała zmiana w myśleniu o integracji społecznej osób niepełnosprawnych. Wierzę, że doświadczenie, potencjał i zaangażowanie telewizji publicznej przyczynią się do sukcesu tego projektu.
W nadchodzącym roku przypada 10. rocznica przyjęcia przez ONZ Zasad Wyrównywania Szans Osób Niepełnosprawnych, których na świecie żyje około pół miliarda. W Polsce jest ich ponad 5 milionów. Rada Unii Europejskiej postawiła społeczności europejskiej na 2003 rok następujące cele:
• podniesienie świadomości prawnej osób niepełnosprawnych,
• obrona przed dyskryminacją,
• pełne korzystanie ze swoich praw,
• promowanie równych szans w życiu społecznym,
• wybieranie pozytywnych działań na rzecz niepełnosprawnych,
• promowanie pozytywnego wizerunku osób niepełnosprawnych,
• prawo do równości i dostępności w edukacji,
• współpraca niepełnosprawnych z rządami, organizacjami społecznymi, prywatnymi i wolontariuszami,
• ważna rola mediów w propagowaniu idei integracji społecznej,
• współpraca między państwami europejskimi.
Proponuje się nową wizję niepełnosprawności, w której osoby niepełnosprawne są niezależnymi obywatelami, w pełni zintegrowanymi ze społecznością. Chodzi o wyrównywanie ich szans w społeczeństwie. Ważne są inicjatywy, które pomogą przełamać lęk i strach w kontaktach z ludźmi sprawnymi, a także likwidować dyskryminację i nietolerancję wobec niepełnosprawności.

www.tvp.pl

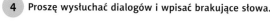

4 Proszę wysłuchać dialogów i wpisać brakujące słowa.

Dialog 1
– Proszę pana!
– Jezus Maria! Co się panu stało?
– Spadłem ze schodów. O Boże, chyba złamałem nogę. Strasznie mnie boli.
– Pomóc panu? Co mam zrobić?
– Proszę zadzwonić po pogotowie. Zna pan numer?
– Tak, 999. Już dzwonię, niech się pan nie denerwuje. Wszystko będzie dobrze.
– Dziękuję panu bardzo.

Dialog 2
– Panie doktorze, chyba złamałem nogę.
– No widzę, jak to się stało?
– Spadłem ze schodów.
– Musimy najpierw zrobić zdjęcie rentgenowskie.
– Panie doktorze, czy wszystko będzie dobrze?
– Tak, niech się pan nie denerwuje, zrobimy rentgen i wtedy zobaczymy dokładnie, co to jest. Aha, jeszcze jedna ważna rzecz – jest pan ubezpieczony, prawda?
– Tak, tak, oczywiście.

10 Proszę wysłuchać rozmowy z inicjatorką akcji przeciw transportowi zwierząt i odpowiedzieć w jej imieniu na następujące pytania:

1. Kiedy zainteresowałaś się problemem transportu koni?
– Dokładnie w lipcu 2002 roku.
2. Kto Ci powiedział, że warunki, w których transportuje się konie są nie do zaakceptowania? I jakie są to warunki?
– O tym problemie dowiedziałam się z prasy. Zdjęcie zmaltretowanego konia zajmowało prawie całą stronę i towarzyszyło mu hasło: „Tanie podróżowanie po Europie". Oczywiście nie chodziło o reklamę biura podróży.
3. Czy istnieje w Polsce jakaś organizacja, która aktywnie zajmuje się tym problemem?
– Tak, organizacja nazywa się Viva! Akcja dla zwierząt i jest polskim oddziałem międzynarodowej organizacji Viva! działającej od 1994 roku. Zajmuje się popularyzowaniem wegetarianizmu i weganizmu w trosce o dobro ludzi, zwierząt i całej planety.
4. Do kogo adresujecie Wasz protest?
– Generalnie chcemy, żeby ludzie byli bardziej wrażliwi na los zwierząt. Chcemy, żeby więcej mówiło się o transporcie koni na rzeź do Włoch i Francji. Stąd reklama w prasie, jak i lokalne kampanie połączone ze zbieraniem podpisów pod listami protestacyjnymi.
5. Ile podpisów udało Wam się zebrać?
– Do tej pory zebraliśmy około 50 000 podpisów.
6. Jaka jest szansa, że ten protest przyniesie skutek? – A może już przyniósł?
– Naszym pierwszym sukcesem, poza nagłośnieniem problemu, był spadek eksportu koni z 43 000, w roku 2001 do 30 000, w roku 2002. Ponadto z badań opinii publicznej wynika, że aż 73% obywateli jest przeciwnych transportowi koni na mięso. Są to głównie mieszkańcy miast.
7. Czy są jeszcze inne problemy związane z traktowaniem zwierząt, którymi się interesujesz?
– Problem transportu koni jest wyjątkowo bulwersujący, ponieważ zwierzęta te służą człowiekowi całe życie, ciężko pracując. Warunki, w jakich transportowane są zwierzęta, to skandal. Dla prawodawców we wszystkich krajach unijnych ważniejszy jest zysk z przemysłu mięsnego niż cierpienie zwierząt. Inne zwierzęta równie często są traktowane przedmiotowo i wciąż brak odpowiednich zapisów w ustawie o ochronie zwierząt regulujących choćby takie kwestie, jak doświadczenia na zwierzętach.
8. Jak oceniasz świadomość ekologiczną Polaków?
– Wydaje mi się, iż wiele zmieniło się na lepsze w ostatnich latach. Zdecydowanie jednak świadomość ekologiczną powinno kształtować się od najmłodszych lat. Jesteśmy częścią przyrody, więc powinniśmy okazać jej szacunek.

6a Proszę wysłuchać pierwszego fragmentu nagrania i wybrać prawidłową odpowiedź.

– Dziś bardzo intensywnie buduje się wizerunek. Często zakrywa prawdziwą twarz. Autopromocja, autoprezentacja, kreacja wizerunku – te pojęcia już na stałe wpisały się do słownika współczesnej polszczyzny. Dobrze skonstruowany wizerunek pomaga odnieść sukces. Jest z nami ekspert, psycholog społeczny pani profesor Ewa Kownacka. Pani profesor, jakie są wizerunkowe plusy i minusy?
– Tempo życia sprawia, że coraz częściej komunikacja ma być efektywna, a to znaczy prosta i szybka. Niesłychanie ważne jest pierwsze wrażenie. Podajemy swój wizerunek jak rękę na dzień dobry. Rywalizacja o uwagę jest dziś jedną z najważniejszych konkurencji życia społecznego. Nasze relacje z innymi są zdominowane przez tą rywalizację – przez walkę na wizerunki.
– Kiedy pojawiło się zjawisko i techniki autoprezentacji?
– Zjawisko i techniki autoprezentacji nie są czymś, co pojawiło się

wraz z kapitalizmem. Są stare jak ludzkość. Różnica w tym, że zwykle wizerunki tworzono intuicyjnie i bardziej spontanicznie. Dziś jest to wiedza sprzedawana przez firmy i specjalistów. Nowa jest także zasada: nieważne, jakie coś jest, ważne, jak się sprzedaje.
– Jakie wizerunki kreuje się obecnie?
– Zmieniła się galeria pożądanych wizerunków. Nieaktualne są już dawne, idealistyczne postaci: poeta przeklęty, autorytet moralny, kontestator o intelektualnych ambicjach czy rockman prowadzący straceńczy tryb życia. Dziś mamy bardziej merkantylne i pragmatyczne wzorce: bogaty biznesmen – sybaryta o wyrafinowanych gustach, polityk potrafiący zyskać społeczną sympatię, handlowiec – profesjonalista w każdym calu, operatywny i ambitny absolwent, gwiazda mediów umiejętnie handlująca swoją prywatnością.

6b Proszę wysłuchać drugiego fragmentu nagrania i zaznaczyć, czy poniższe zdania są prawdziwe (P) czy nieprawdziwe (N).

– Jak pouczają specjaliści, wizerunek musi być spójny i zintegrowany. Nie może ograniczać się tylko do sfery zawodowej, musi obejmować także życie prywatne.
– Tak jak uśmiech dla akwizytora, dla gwiazdy mediów popularność jest warunkiem przeżycia. By istnieć, należy zwracać na siebie uwagę. Gwiazdy sprzedają swoją prywatność. Proces ten wykreowało zainteresowanie mas, a produkcją zajęły się kolorowe czasopisma. Gwiazdy w przeważającej większości odpowiadają na to zainteresowanie. Media są wyjątkową machiną. Kolorowy tygodnik to 52 okładki rocznie. To znaczy, że rocznie potrzebuje 52 gwiazd, najlepiej polskich, bo o tych się czyta. Trzeba omijać te, które ostatnio były na okładkach u konkurencji. Gwiazd stale brakuje, więc trzeba niektóre bohaterki trochę podpompować. Na początek wystarczy rozpoznawalna twarz. Bierze się ją z serialu, telenoweli albo programu typu reality-show. Nie jest specjalnie istotne, co gwiazda ma do powiedzenia. Czasem wymyśla się całe wypowiedzi i rzadko kto zauważa to przy autoryzacji. Nie chodzi bowiem o to, co gwiazda ma do powiedzenia, ale o to, co ludzie chcą przeczytać. Plotki i półprawdy tworzone są na potrzeby czytelniczych mas. Do redakcji czasopisma dzwoni na przykład menedżer piosenkarki. Wydała płytę i potrzebują trochę medialnego szumu. Magazyn odpowiada, że płyta to za mało. Niech coś zrobi: kogoś rzuci, poślubi, zajdzie w ciążę. Ostatnio moda na macierzyństwo i rodzinę jest w absolutnym topie. Kiedyś lepiej sprzedawała się zdrada, dziś tradycjonalizm.

„Polityka" 2004, nr 5

7a Proszę wysłuchać nagrania i zaznaczyć, czy poniższe zdania są prawdziwe (P) czy nieprawdziwe (N). Nagranie zostanie odtworzone dwukrotnie.

Sto dwadzieścia jeden najlepszych rosyjskich i radzieckich plakatów z dwudziestego wieku można oglądać na wystawie w Szczecinie. Najciekawsze nie są te polityczne, lecz poświęcone codziennemu życiu radzieckich obywateli. Plakat reklamujący witaminę C pochodzi z 1950 roku. Kolejny plakat z 1952 roku zachęca do jedzenia parówek. Wystawa zaskakuje od początku. Zamiast spodziewanych treści politycznych, czerwonych gwiazd, postaci Lenina czy Stalina, zwiedzający pozna codzienne życie radzieckiego obywatela. A wydaje się ono egzotyczne, zwłaszcza dla młodego obserwatora. I nie tylko ze względu na upływ czasu, ale i reklamowane produkty. Produkty nie mają marki. Są po prostu konfitury, koncentrat pomidorowy czy woda toaletowa i perfumy o intensywnym zapachu. Nie brak plakatów kulturalnych, szczególnie dotyczących wielkich filmowych hitów jak Świat się śmieje czy Czapajew. Jest też czysta propaganda. Jest Stalin, Lenin, parady na Placu Czerwonym. Jednym słowem, dużo historii.
– Miałam wybrać 100 plakatów, a wybrałam 121. Było zbyt wiele dobrych – mówi Agata Saraczyńska, komisarz wystawy, historyk sztuki.
– W ZSRR plakat był jak biblia dla ubogich. Naród rosyjski dzięki plakatowi poznawał wielkość władzy radzieckiej, siłę Armii Czerwonej. Autorami tych dzieł byli najczęściej młodzi, awangardowi artyści. Wiara, jaką radzieccy twórcy pokładali w plakacie, nie była tak silna nawet w Niemczech faszystowskich.

Wystawa w Szczecinie potrwa do końca marca. W kwietniu i maju plakaty zobaczyć będzie można w Warszawie, potem w Katowicach. W przyszłym roku wystawa odwiedzi Poznań, Gdańsk i Kraków.

„Rzeczpospolita" 2004, nr 38

lekcja 17

7a Proszę wysłuchać wypowiedzi 5 osób, a następnie uzupełnić poniższą tabelę.

7b Wypowiedzi osób zostały wymieszane. Proszę wysłuchać nagrania po raz drugi, a następnie wraz z kolegą / koleżanką uzupełnić dialogi.

Dialog 1.
Dziennikarka: Przepraszam, jak się pani podobał film?
Kobieta: Piękny! Piękny! Naprawdę nie wierzyłam, że można zrobić taki udany film na podstawie tej sztuki teatralnej!
Dziennikarka: A co szczególnie się pani podobało?
Kobieta: Wszystko: kostiumy, scenografia, gra aktorów... No, po prostu jestem zachwycona!

Dialog 2.
Dziennikarka: A tobie podobał się film?
Chłopak: Nie bardzo... Nie lubię filmów kostiumowych, nie podobało mi się też to, że aktorzy mówią wierszem. Ale szczerze mówiąc, nie spodziewałem się, że film mi się spodoba.
Dziennikarka: To dlaczego przyszedłeś na premierę?
Chłopak: Ojciec miał bilety... (śmieje się) Zresztą to moja lektura szkolna, nie będę musiał już czytać.
Dziennikarka: No więc powinieneś być zadowolony.
Chłopak: W sumie tak... przynajmniej mam to z głowy!

Dialog 3.
Dziennikarka: A pan, co pan myśli o filmie?
Mężczyzna: Szkoda czasu!
Dziennikarka: O, to naprawdę ostra ocena. Dlaczego pan tak uważa?
Mężczyzna: Ja po prostu nie rozumiem, po co przenosić sztukę teatralną na ekran? Nigdy nie widziałem udanej adaptacji.
Dziennikarka: Dlaczego w takim razie przyszedł pan na premierę?
Mężczyzna: Jestem krytykiem filmowym, to mój obowiązek.

Dialog 4.
Dziennikarka: Jak wam się podobał film?
Dziewczyna: Trudno powiedzieć... Pod pewnymi względami mi się podobał: na przykład kostiumy – bardzo odważne, ale interesujące. Ale generalnie nudny.
Chłopak: Jak możesz tak mówić! Film jest wierną adaptacją sztuki, niczym się nie różni od przedstawienia w teatrze.
Dziewczyna: Żartujesz! W kinie nie ma takiej atmosfery, jak w teatrze!
Dziennikarka: Widzę, że zdania są podzielone...
Dziewczyna: O, to normalne! On ma zawsze inne zdanie na każdy temat!

Dialog 5.
Dziennikarka: Jak wrażenia z filmu?
Mężczyzna: Znakomita adaptacja, naprawdę wszystkim polecam. Przede wszystkim, jeśli chodzi o reżyserię, widać rękę artysty: rewelacyjna obsada, doskonałe tempo, scenografia...
Dziennikarka: Żadnych uwag krytycznych?
Mężczyzna: Zdaję sobie sprawę z tego, że film nie wszystkim będzie się podobał, ale ze swojej strony nie mam uwag.

6 Proszę wysłuchać nagranej rozmowy i odpowiedzieć na pytania.

1. Jakie są najważniejsze ośrodki ewangelickie w Polsce?
– Trudno mówić o najważniejszych ośrodkach, można jedynie powiedzieć o skupiskach ze względu na ilość ewangelików. Takim obszarem jest Śląsk Cieszyński, (np. parafie Wisła, Cieszyn, jest tego naprawdę dużo, wystarczy więc właśnie ogólne określenie Śląsk Cieszyński).
2. Ilu ewangelików jest obecnie w Polsce?
– W Polsce jest aktualnie około 80 000 ewangelików.
3. Czy spotkali się Państwo z przykładami dyskryminacji ze względu na religię?
– To chyba najtrudniejsze pytanie, bo bardzo subiektywne i zależy od tego, czy zapytałaby Pani kogoś w diasporze (mała parafia, rozproszona) czy właśnie na Śląsku Cieszyńskim. Przypadki dyskryminacji zapewne się zdarzają, choć muszę przyznać, że stopniowo jest ich coraz mniej. W szkole rodzice bardzo dbają o to, by ich dzieci mogły być właściwie traktowane. Zdarza się, że mogą opowiadać w klasie o swoim wyznaniu, ale to zależy od wychowawcy i jego wrażliwości. Zwykle nie uczestniczą w lekcjach religii katolickiej, a jeśli tak, to są uważane za ekspertów w sprawach biblijnych. Jeden z naszych uczniów chodził na każdą lekcję w gimnazjum, pisał nawet sprawdziany i zawsze ksiądz katolicki prowadzący zajęcia podkreślał, że to ewangelik ma taką wiedzę. Zdarzają się jednak miejsca gdzie ewangelików jest tak mało, że postrzega się ich (jak to zwykle z obcym i nieznanym bywa) negatywnie. Wzbudzają jakąś obawę, patrzy się jak na jakieś dziwne zjawisko, pyta czy wierzą w Boga, czy mają święta, czy się modlą. To przykre, ale ogólny poziom polskiego narodu nie jest w kwestiach religijnych zbyt wysoki. Myślę, że dużym problemem są małżeństwa mieszane, ale nie to, że są zawierane, ale że strona ewangelicka wielokrotnie musi być tłamszona przez stronę katolicką. Jeśli ślub ma być ważny w kościele katolickim, a jest zawierany poza tym kościołem (tzn. w parafii ewangelickiej), potrzebne jest podpisanie dokumentu, w którym strona katolicka zobowiązuje się wychowywać dzieci po katolicku, a strona ewangelicka MUSI to przyjąć do wiadomości. Przykre, że po takim nagłośnieniu ekumenii i zbliżeniu teologicznym w wielu sprawach nadal nie można uczynić takiego małego kroku i przyznać, że dzieci można wychować po prostu po chrześcijańsku.

1. Skąd pomysł?

W 1994 roku zaczęła działać w Krakowie nowa szkoła językowa PROLOG. Jest to entuzjastyczny, energiczny i otwarty na nowe pomysły zespół nauczycieli Polaków i obcokrajowców – rodzimych użytkowników nauczanych języków. Skoncentrowaliśmy się na nauczaniu trzech języków: języka angielskiego i niemieckiego oraz języka polskiego jako obcego. Od samego początku nasze metody nauczania determinuje podejście komunikacyjne, które od lat dominuje w nauczaniu języków obcych. Pozwala to naszym studentom na równoległy rozwój wszystkich sprawności językowych oraz stwarza im szansę maksymalnej aktywności językowej na każdym poziomie (nie)znajomości języka.

Programy nauczania języka angielskiego i niemieckiego dla poszczególnych poziomów zaawansowania opracowaliśmy, bazując na standardach nauczania i systemach egzaminacyjnych University of Cambridge Local Examinations Syndicate (obecnie Cambridge ESOL) oraz Instytutu Goethego (obecnie Goethe Institut Internationes).

Wybierając podręczniki, szukamy takich materiałów, które pozwalają nam na przygotowanie ramowych programów nauczania dla poszczególnych grup językowych oraz gwarantują ciągłość materiału na kilkunastu poziomach zaawansowania, na których uczymy. Dlatego zdecydowaliśmy się na serie materiałów renomowanych wydawnictw językowych: Longman, Cambridge University Press, LTP oraz Hueber Verlag.

Na tym tle oferta dydaktyczna do nauczania języka polskiego jako obcego była niezwykle skromna i niekompletna. Dominowały w niej pozycje, które nie wykorzystywały podejścia komunikacyjnego jako sposobu nauczania, co w naszym przekonaniu nie gwarantowało efektywnej nauki mówienia i rozumienia, czytania ze zrozumieniem i pisania w języku polskim. Jednocześnie brak standaryzacji w nauczaniu języka polskiego jako obcego dodatkowo utrudniał jego skuteczne nauczanie.

Korzystając z wieloletnich doświadczeń szkoły w nowoczesnym nauczaniu języków obcych oraz z doświadczeń zebranych przez współpracujących z nami nauczycieli, postanowiliśmy przygotować własne materiały do nauczania języka polskiego jako obcego adresowane do uniwersalnego dorosłego odbiorcy. Taką możliwość dał nam europejski program Socrates / LINGUA 2. Do realizacji w ramach tego programu szkoła PROLOG zgłosiła projekt obejmujący opracowanie koncepcji, napisanie, przetestowanie i wydanie nowoczesnej serii podręczników.

Materiały, które mają Państwo przed sobą, opracowywano przez trzy lata, uwzględniając założenia Europejskiego systemu opisu kształcenia językowego, jak również zgodnie z wytycznymi Państwowej Komisji Poświadczania Znajomości Języka Polskiego jako Obcego. Seria w obecnym kształcie została opracowana z myślą o uczących się do pierwszego certyfikatowego egzaminu na poziomie PL-B1.

2. Akcja Lingua 2 programu Socrates

wspiera projekty, których celem jest opracowywanie materiałów dydaktycznych do nauki języków obcych. Jej celem jest podniesienie standardów w nauczaniu i uczeniu się języków obcych poprzez podnoszenie jakości nauczania oraz tworzenie narzędzi do oceny nabywanych umiejętności językowych.

Zadaniem programu Socrates jest rozszerzanie współpracy europejskiej w dziedzinie edukacji, która obejmuje dzieci, młodzież i dorosłych – od przedszkola po uniwersytet. Celem programu

jest kreowanie europejskiego wymiaru w nauczaniu, powiększanie kręgu osobistych doświadczeń o wiedzę na temat innych krajów Wspólnoty, rozwijanie poczucia jedności oraz wspomaganie procesów przystosowywania się do nowych warunków społecznych i ekonomicznych zjednoczonej Europy.

Program edukacyjny Socrates Wspólnota Europejska realizuje w latach 1995–1999 (I faza) oraz 2000–2006 (II faza). Już w roku szkolnym 1996/97 polscy projektodawcy brali w nim udział w ramach działań przygotowawczych. Formalnie Polska przystąpiła do realizacji programu w marcu 1998 roku.

www.socrates.org.pl

3. Autorzy

Autorzy serii to doświadczeni lektorzy języka polskiego współpracujący ze Szkołą Języków Obcych PROLOG i ze Szkołą Języka i Kultury Polskiej Uniwersytetu Jagiellońskiego. Są wykwalifikowanymi nauczycielami, którzy ukończyli studia filologiczne. Ich wieloletnie doświadczenie w pracy dydaktycznej w Polsce i za granicą stanowi istotny atut wykorzystany w pracy nad przygotowaniem podręczników z niniejszej serii.

Agnieszka Burkat

współautorka PO POLSKU 2, PO POLSKU 3 oraz PO POLSKU – Testu Kwalifikacyjnego.

Z wykształcenia romanistka, od 1996 roku pracuje jako lektorka języka polskiego. Mama Jędrka i Zacharego, obecnie kończy psychologię na UJ. Zajmuje się treningiem autogennym i zastosowaniem technik autosugestii w procesie uczenia się. Interesuje się antropologią kulturową i etnografią. Dużo podróżuje, zbiera przepisy kulinarne z całego świata. Lubi długie spacery latem i narty zimą.

Agnieszka Jasińska

współautorka PO POLSKU 2, PO POLSKU 3 oraz PO POLSKU – Testu Kwalifikacyjnego.

Absolwentka filologii romańskiej na Akademii Pedagogicznej w Krakowie. Od 1995 roku pracuje jako nauczycielka języka francuskiego, włoskiego oraz lektorka języka polskiego jako obcego. Prowadzi zajęcia grupowe dla dorosłych i młodzieży w prywatnych szkołach językowych w Krakowie; współpracowała ze Szkołą Języka i Kultury Polskiej UJ. Prowadzi grupowe i indywidualne kursy języka polskiego dla firm i instytucji publicznych. Jest tłumaczką języka francuskiego i włoskiego. Interesuje się muzyką, literaturą, filmem.

dr Liliana Madelska

autorka „Polnisch entdecken" oraz współautorka „Discovering Polish" i „Odkrywamy język polski".

Wykładowczyni z dwudziestopięcioletnim doświadczeniem w nauczaniu języka polskiego jako obcego, autorka publikacji naukowych. Pracuje w Instytucie Slawistyki Uniwersytetu Wiedeńskiego. Uprawia sporty wodne i jeździ na nartach.

Małgorzata Małolepsza

współautorka PO POLSKU 1, PO POLSKU 3 oraz PO POLSKU – Testu Kwalifikacyjnego.

Absolwentka filologii polskiej na Uniwersytecie Jagiellońskim (praca magisterska z zakresu psycholingwistyki); od 1994 roku uczy języka polskiego jako obcego. Na Uniwersytecie ukończyła także kurs dla lektorów języka polskiego jako obcego. Prowadziła kurs języka polskiego, grupowe i indywidualne kursy specjalistyczne na wszystkich poziomach zaawansowania m.in. w Szkole Języka i Kultury Polskiej UJ, Szkole Języków Obcych PROLOG w Krakowie, GFPS Polska. Od października 2004 roku jest lektorką języka polskiego na Uniwersytecie Georga-Augusta w Getyndze. Interesuje się nowoczesnymi metodami nauczania języków obcych takimi jak NLP i metoda tandemowa. Jej pasje to języki obce, psychologia, muzyka, taniec, pływanie, film.

dr Waldemar Martyniuk

autor opracowania testu przykładowego na poziomie B1, ekspert wewnętrzny projektu.

Językoznawca, adiunkt na Uniwersytecie Jagiellońskim w Krakowie i wykładowca języka polskiego jako obcego oraz autor podręczników, programów nauczania i testów z języka polskiego jako obcego. Sekretarz Państwowej Komisji Poświadczania Znajomości Języka Polskiego jako Obcego (2003–2004); visiting professor i wykładowca języka i kultury polskiej na uniwersytetach w Niemczech, Szwajcarii i w USA; dyrektor Szkoły Języka i Kultury Polskiej UJ (2001–2004). Koordynator projektów językowych w Wydziale Polityki Językowej Rady Europy w Strasburgu (2005–2006). Od 2008 roku dyrektor wykonawczy Centrum Języków Nowożytnych Rady Europy.

dr Geoffrey Schwartz

współautor „Discovering Polish".

Uzyskał tytuł doktora slawistyki w 2000 roku na Uniwersytecie Waszyngtońskim. Ma ponad dziesięcioletnie doświadczenie w nauczaniu języków obcych – uczył języka polskiego, rosyjskiego, serbsko-chorwackiego i angielskiego jako obcego. Od 2002 roku prowadzi zajęcia z języka angielskiego jako visiting professor w Instytucie Filologii Angielskiej Uniwersytetu Adama Mickiewicza w Poznaniu, gdzie wykłada fonetykę i fonologię. W swoich badaniach naukowych koncentruje się na zastosowaniu fonetyki akustycznej w nauczaniu języków.

Aneta Szymkiewicz

współautorka PO POLSKU 1, PO POLSKU 3 oraz PO POLSKU – Testu Kwalifikacyjnego.

Od 1998 roku jest lektorką języka polskiego jako obcego i prowadzi zajęcia grupowe i indywidualne na wszystkich poziomach zaawansowania w prywatnych szkołach językowych w Krakowie oraz w Szkole Języka i Kultury Polskiej UJ (w tym także kursy specjalistyczne: ekonomiczne i literaturoznawcze). Współpracuje Międzynarodowym Centrum Kształcenia Politechniki Krakowskiej. Absolwentka filologii polskiej na Uniwersytecie Jagiellońskim (1997), Studium Dziennikarskiego Akademii Pedagogicznej w Krakowie (1997) oraz Szkoły Przedsiębiorczości i Zarządzania przy Akademii Ekonomicznej w Krakowie (2003). Współpracowała jako dziennikarka z „Przekrojem", „Dziennikiem Polskim" „Gazetą Wyborczą" („Gazetą w Krakowie"). Zna język angielski, rosyjski i niemiecki. Jej zainteresowania to literatura, muzyka, języki obce, fotografia, taniec i jazda na rolkach.

dr Małgorzata Warchoł-Schlottmann

współautorka „Odkrywamy język polski".

Absolwentka filologii polskiej i filologii romańskiej Uniwersytetu Jagiellońskiego w Krakowie oraz filologii germańskiej na Uniwersytecie w Heidelbergu. Pracuje w Instytucie Slawistyki Uniwersytetu w Wiedniu. Języka polskiego uczyła na uniwersytetach niemieckich w Heidelbergu, Mannheim, Getyndze, Monachium, Regensburgu oraz na Uniwersytecie Stanowym, Columbus Ohio w USA. Interesuje się odmianami funkcjonalnymi i socjolektami współczesnej polszczyzny i zjawiskami dwujęzyczności.

4. Pomysłodawca i koordynator

PROLOG SZKOŁA JĘZYKÓW OBCYCH, Kraków, Polska

Szkoła językowa działająca w Krakowie od 1994 roku, uznana placówka edukacyjna oferująca kursy języka polskiego jako obcego oraz języka angielskiego i niemieckiego. Opracowuje także nowoczesne pomoce do nauki języków obcych.

Agata Stępnik-Siara

koordynator projektu i redaktor prowadzący serii. Jest dyrektorem programowym Szkoły Języków Obcych PROLOG, lektorem języka niemieckiego i polskiego jako obcego. Zajmuje się nowoczesnymi metodami uczenia (się) języków obcych. Lubi poznawać inne kultury i języki. Interesuje się medycyną naturalną. Mama Jaśka i Marysi.

5. Partnerzy

UNIWERSYTET WIEDEŃSKI, Instytut Slawistyki, Wiedeń, Austria

W projekcie HURRA!!! recenzent materiałów na różnych etapach ich powstawania, ośrodek testujący i oceniający.

THE BRASSHOUSE LANGUAGE CENTRE, Birmingham, Wielka Brytania

Renomowana szkoła językowa, która prowadzi kursy 25 języków obcych na różnych poziomach zaawansowania.

W projekcie HURRA!!! recenzent materiałów na różnych etapach ich powstawania, ośrodek testujący i oceniający.

SZKOŁA JĘZYKA I KULTURY POLSKIEJ UJ, Kraków, Polska

Znana w świecie instytucja naukowa mająca wieloletnie doświadczenie w nauczaniu języka polskiego jako obcego studentów z całego świata.

W projekcie HURRA!!! ośrodek testujący.

Podziękowania

Szczególne podziękowania pragniemy złożyć na ręce *Pani Profesor Anny Dąbrowskiej* z Uniwersytetu Wrocławskiego. Była silnym wsparciem dla twórców i realizatorów projektu. Jej cenne uwagi oraz sugestie inspirowały nasz zespół, pomagając nam wytrwać do końca w naszych zamiarach i pracować coraz lepiej.

Bardzo serdecznie dziękujemy również *Annie Zinserling* oraz nauczycielom z Kolegium Języka i Kultury Polskiej w Berlinie, którzy testowali pilotażową wersję materiałów.

Dziękujemy gorąco *Pawłowi Poszytkowi*, Koordynatorowi Krajowemu w Agencji Narodowej programu SOCRATES-LINGUA, za instytucjonalne wsparcie oraz wiarę w nasze kompetencje.

Dziękujemy naszym przyjaciołom, *Joasi Czudec* oraz *Magdzie i Robertowi Syposzom*. Dzięki ich wiedzy i doświadczeniu pomysły grupy entuzjastów nabrały realnych kształtów.

Agata i Mariusz Siara

13 powodów, dla których warto wybrać

HURRA!!!

HURRA!!! to nowoczesna SERIA do nauczania języka polskiego jako obcego:

1 napisana w duchu podejścia komunikacyjnego, które umożliwia efektywne porozumiewanie się już na początkowych etapach nauki;

2 pozwalająca na poznawanie języka polskiego poprzez samodzielne odkrywanie i formułowanie reguł gramatycznych oraz stosowanie ich w ćwiczeniach komunikacyjnych;

3 przedstawiająca trudne zagadnienia gramatyczne w sposób przyjazny dla uczącego się i atrakcyjny graficznie;

4 proponująca systematyczne rozwijanie kompetencji językowych w słuchaniu, czytaniu, mówieniu, pisaniu;

5 o przejrzystej strukturze – oznaczone różnymi kolorami poszczególne rozdziały, sekcje słownictwa i gramatyki ułatwiają poszukiwanie konkretnych zagadnień bądź ćwiczeń.

Seria Hurra!!! zawiera:

6 w każdej lekcji bogaty materiał ilustrujący współczesną Polskę i pokazujący realia życia codziennego;

7 aktualne tematy prezentowane w autentycznych sytuacjach z życia codziennego, które wprowadzają informacje kulturo- i realioznawcze oraz odpowiadają praktycznym potrzebom komunikacyjnym uczących się;

8 liczne propozycje ćwiczeń, gier i zabaw, które wspomagają uczenie się języka obcego i powodują, że proces nauki i nauczania staje się efektywniejszy, łatwiejszy i przyjemniejszy;

9 gotowe testy osiągnięć i ćwiczenia kontrolne oraz powtórzeniowe, które umożliwiają stałą kontrolę postępów w nauce;

10 zestaw egzaminacyjny, czyli propozycję testów wzorowanych na państwowych egzaminach certyfikatowych na poziomie B1;

11 osobne Zeszyty ćwiczeń wraz z kluczem i Audio CD oraz transkrypcje tekstów do ćwiczenia rozumienia ze słuchu, które pozwalają na dodatkową samodzielną pracę i umożliwiają samokontrolę;

12 podręczniki nauczyciela z praktycznymi wskazówkami zarówno dla początkujących, jak i doświadczonych nauczycieli, z gotowymi materiałami do kopiowania, sugestiami jak modyfikować i urozmaicać lekcję dodatkowymi ćwiczeniami;

13 gramatykę języka polskiego w trzech wersjach językowych, napisaną w sposób zrozumiały dla użytkownika i przyjazną w użyciu (systematyczny opis języka • żartobliwe objaśnienia rysunkowe • wiele dowcipnych przykładów zdań • przejrzysty dwukolorowy skład • tabelaryczne zestawienia zagadnień gramatycznych • ikony informujące o systemie języka • praktyczny w użyciu format).

HURRA!!! to SERIA pomyślana i zaprojektowana tak, by pomóc uczącemu się w skutecznym opanowaniu poznawanego materiału, a nauczycielowi w pracy dydaktycznej.